Le capitaine Fracasse

Théophile Gautier

Le capitaine Fracasse

Abrégé par Jacques Le Marinel

Classiques abrégés
l'école des loisirs
11, rue de Sèvres, Paris 6ᵉ

Théophile Gautier, né en 1811, mort en 1872, se passionna si jeune pour les idées nouvelles qu'il fut, en 1830, le meneur des « Flamboyants » à la bataille d'Hernani et qu'on le surnomma « le page de Hugo ». Mais dans sa célèbre préface à son roman *Mademoiselle de Maupin* (1835), il prône déjà l'art pour l'art et le formalisme, ce qui fera de lui le maître de Baudelaire, de Flaubert et du Parnasse. Ses œuvres les plus remarquables : *La comédie de la mort* (1838), *Le capitaine Fracasse* (1863) font injustement négliger l'immense travail qu'il accomplit comme critique, car les deux mille feuilletons sur la littérature, la peinture et la danse, qu'il écrivit de 1830 à 1870, sont une irremplaçable évocation de la vie artistique sous Louis-Philippe et le Second Empire.

© *1993, l'école des loisirs, Paris*
Loi n° 49.956 du 16 juillet 1949 sur les publications
destinées à la jeunesse : mai 1993
Dépôt légal : mars 2009
Imprimé en France par CPI Bussière
à Saint-Amand-Montrond
N° d'impr. : 090953/1.

ISBN 978-2-211-01731-2

I
LE CHÂTEAU DE LA MISÈRE

Sur le revers d'une de ces collines décharnées qui bossuent les Landes, entre Dax et Mont-de-Marsan, s'élevait, sous le règne de Louis XIII, une de ces gentilhommières si communes en Gascogne, et que les villageois décorent du nom de château.

Deux tours rondes, coiffées de toits en éteignoir, flanquaient les angles d'un bâtiment, sur la façade duquel deux rainures profondément entaillées trahissaient l'existence primitive d'un pont-levis réduit à l'état de sinécure par le nivelage du fossé, et donnaient au manoir un aspect assez féodal, avec leurs échauguettes en poivrière et leurs girouettes à queue d'aronde. Une nappe de lierre enveloppant à demi l'une des tours tranchait heureusement par son vert sombre sur le ton gris de la pierre déjà vieille à cette époque.

Le voyageur qui eût aperçu de loin le castel dessinant ses faîtages pointus sur le ciel, au-dessus des genêts et des bruyères, l'eût jugé une demeure convenable pour un hobereau de province ; mais, en approchant, son avis se fût modifié. Le chemin qui menait de la route à l'habitation s'était réduit, par l'envahissement de la mousse et des végétations parasites, à un étroit sentier blanc semblable à un galon terni sur un manteau râpé.

7

De larges plaques de lèpre jaune marbraient les tuiles brunies et désordonnées des toits, dont les chevrons pourris avaient cédé par place ; la rouille empêchait de tourner les girouettes, qui indiquaient toutes un vent différent ; les lucarnes étaient bouchées par des volets de bois déjeté et fendu. Des pierrailles remplissaient les barbacanes des tours ; sur les douze fenêtres de la façade, il y en avait huit barrées par des planches ; deux autres montraient des vitres bouillonnées, tremblant, à la moindre pression de la bise, dans leur réseau de plomb.

La porte, encadrée d'un linteau de pierre, était surmontée d'un blason fruste. Un seul battant s'ouvrait et suffisait à la circulation des hôtes évidemment peu nombreux du castel, et contre le jambage de la porte s'appuyait une roue démantelée, dernier débris d'un carrosse défunt sous le règne précédent. Des nids d'hirondelles oblitéraient le faîte des cheminées et les angles des fenêtres, et, sans un mince filet de fumée qui sortait d'un tuyau de briques et se tortillait en vrille comme dans ces dessins de maisons que les écoliers griffonnent sur la marge de leurs livres de classe, on aurait pu croire le logis inhabité : maigre devait être la cuisine qui se préparait à ce foyer, car un soudard avec sa pipe eût produit des flocons plus épais. C'était le seul signe de vie que donnât la maison, comme ces mourants dont l'existence ne se révèle que par la vapeur de leur souffle.

Dans l'écurie, où vingt chevaux eussent pu tenir à l'aise, un maigre bidet, dont la croupe saillait en protubérances osseuses, tirait d'un râtelier vide quelques brins de paille du bout de ses dents jaunes et déchaussées. Au seuil du chenil, un chien unique, flottant dans sa peau trop large où ses muscles détendus se dessinaient en lignes flasques, sommeillait le museau posé sur l'oreiller peu rembourré de ses pattes ; il paraissait tellement habitué à la solitude du lieu qu'il avait renoncé à toute surveillance, et ne s'inquiétait point comme les chiens, même assoupis, ont coutume de le faire, au moindre bruit qui se fait entendre.

Lorsqu'on voulait pénétrer dans l'habitation, on rencontrait un énorme escalier à rampe de bois taillée en balustre. Cet escalier n'avait que deux paliers, le logis ne renfermant pas plus de deux étages. – Il était en pierre jusqu'au premier, en briques et en bois à partir de là.

Une porte verte donnait passage dans une pièce qui avait pu servir de salle à manger aux temps fabuleux où l'on mangeait dans ce logis désert. Au-dessus de la cheminée de forme antique, un massacre de cerf dix cors épanouissait son bois, et le long des murailles grimaçaient sur les toiles rembrunies des portraits enfumés représentant des capitaines cuirassés ayant leur casque à côté d'eux ou tenu par un page, et fixant sur vous des yeux profondément noirs seuls vivants dans leurs figures mortes.

Tels qu'ils étaient, ces fantômes peints étaient des hôtes bien appropriés à la solitude désolée du logis. Des habitants réels eussent paru trop vivants pour cette maison morte.

Cinq ou six chaises recouvertes de velours que les années et l'usage rendaient d'un roux pisseux laissaient échapper leur bourre par les déchirures de l'étoffe. A moins d'être un esprit, il n'eût point été prudent de s'y asseoir, et, sans doute, ces sièges ne servaient que lorsque le conciliabule des ancêtres sortis de leurs cadres venaient prendre place à la table inoccupée, et devant un souper imaginaire causaient entre eux de la décadence de la famille pendant les longues nuits d'hiver si favorables aux agapes de spectres. De cette salle on pénétrait dans une autre un peu moins grande.

Un lit à colonnes en quenouille, fermé par des rideaux de brocatelle coupés à tous leurs plis et dont les ramages verts et blancs se confondaient dans une même teinte jaunâtre, occupait un coin de la pièce, et l'on n'eût osé en relever les pentes de peur d'y trouver dans l'ombre quelque larve accroupie ou quelque forme roide dessinant, sous la blancheur du drap, un nez pointu, des pommettes osseuses, des mains jointes et des pieds placés comme ceux des statues allongées sur des tombeaux ; tant les choses faites pour l'homme et d'où l'homme est absent prennent vite un air surnaturel ! On eût pu supposer aussi qu'une jeune princesse enchantée y reposait d'un sommeil séculaire comme la Belle au bois dormant, mais les plis avaient une rigidité trop sinistre et trop mystérieuse pour cela et s'opposaient à toute idée galante.

Une table en bois noir avec les incrustations de cuivre qui se détachaient, un miroir trouble et louche, dont le tain avait coulé, las de ne pas refléter de figure humaine, un fauteuil de tapisserie au petit point, ouvrage de patience et de loisir mené à fin par quelque aïeule, mais qui ne laissait plus discerner que quelques fils d'argent parmi les soies et les laines déteintes, complétaient l'ameublement de cette chambre, à la rigueur habitable pour un homme qui n'eût craint ni les esprits ni les revenants.

Ces deux pièces répondaient aux deux fenêtres non condamnées de la façade. Un jour blême et verdâtre y descendait à travers les vitres dépolies dont le dernier nettoyage remontait bien à cent ans et qui semblaient étamées en dehors. De grands rideaux, fripés dans leurs cassures et qui se seraient déchirés si on eût voulu les faire glisser sur leurs tringles dévorées de rouille, diminuaient encore cette lumière de crépuscule et ajoutaient à la mélancolie du lieu.

En ouvrant la porte qui se trouvait au fond de cette dernière chambre, on tombait en pleines ténèbres, on abordait le vide, l'obscur et l'inconnu. Peu à peu, cependant, l'œil s'habituait à cette ombre traversée de quelques jets livides filtrant à travers les jointures des planches qui bouchaient les fenêtres, et découvrait confusément une enfilade de chambres délabrées, au parquet disjoint semé de vitres brisées, aux murailles nues ou à demi couvertes de quelques lambeaux de tapisserie effrangée, aux plafonds laissant paraître les lattes et passer l'eau du ciel, admirablement disposés pour les sanhédrins de rats et les états généraux de chauves-souris.

Dès le seuil, une odeur de relent, un parfum de moisissure et d'abandon, le froid humide et noir particulier aux lieux sombres vous montaient aux narines comme lorsqu'on lève la pierre d'un caveau et qu'on se penche sur son obscurité glaciale. En effet, c'était le cadavre du passé qui tombait lentement en poudre dans ces salles où le présent ne mettait pas le pied, c'étaient les années endormies qui se berçaient comme dans des hamacs aux toiles grises des encoignures.

Comme le lecteur doit être las de cette promenade à travers la solitude, la misère et l'abandon, menons-le à la seule pièce un peu vivante du château désert, à la cuisine, dont la cheminée envoyait au ciel ce léger nuage blanchâtre mentionné dans la description extérieure du castel.

Un maigre feu léchait de ses langues jaunes la plaque de la cheminée et sa faible réverbération allait piquer dans l'ombre une paillette rougeâtre au bord des deux ou trois casseroles attachées au mur. Le jour qui tombait par le large tuyau montant jusqu'au toit, sans faire de coude, s'assoupissait sur les cendres en teintes bleuâtres et faisait paraître le feu plus pâle, en sorte que dans cet âtre froid la flamme même semblait gelée. Sans la précaution du couvercle il eût plu dans la marmite, et l'oràge eût allongé le bouillon.

Un vieux chat noir, maigre, pelé comme un manchon hors d'usage et dont le poil tombé laissait voir par places la peau bleuâtre, était assis sur son derrière aussi près du feu que cela était possible sans se griller les moustaches, et fixait sur la marmite ses prunelles vertes traversées d'une pupille en forme d'I avec un air de surveillance intéressée. Ses oreilles avaient été coupées au ras de la tête et sa queue au ras de l'échine, ce qui lui donnait la mine de ces chimères japonaises qu'on place dans les cabinets parmi les autres curiosités, ou bien encore de ces animaux fantastiques à qui les sorcières, allant au sabbat, confient le soin d'écumer le chaudron où bouillent leurs philtres.

La marmite bouillait toujours, et le chat restait immobile à son poste, comme une sentinelle qu'on a oublié de relever. Enfin un pas se fit entendre, pas lourd et pesant, celui d'une personne âgée ; une petite toux préalable résonna, le loquet de la porte grinça, et un bonhomme, moitié paysan moitié domestique, fit son entrée dans la cuisine.

A l'apparition du nouveau venu, le chat noir, qui semblait lié de longue date avec lui, quitta les cendres de l'âtre et se vint frotter amicalement contre ses jambes, arquant le dos, ouvrant et refermant ses griffes, en faisant sortir de sa gorge ce murmure enroué qui est le plus haut signe de satisfaction chez la race féline.

« Bien, bien, Béelzébuth, dit le vieillard en se courbant pour passer à deux ou trois reprises sa main calleuse sur le dos pelé du chat, afin de n'être pas en reste de politesse avec un animal ; je sais que tu m'aimes, et nous sommes assez seuls ici, mon pauvre maître et moi, pour n'être pas insensibles aux caresses d'une bête dénuée d'âme, mais qui pourtant semble vous comprendre. »

Pierre, c'était le nom du vieux serviteur, prit une poignée de bourrées, la jeta sur le feu à demi mort ; les brindilles craquèrent et se tordirent, et bientôt la flamme, poussant un flot de fumée, se dégagea vive et claire au milieu d'une joyeuse mousqueterie d'étincelles.

Le reflet du feu éclairait sa figure, que les années, le soleil, le grand air et les intempéries des saisons avaient boucanée pour ainsi dire et rendue plus foncée que celle d'un Indien caraïbe ; quelques mèches de cheveux blancs, s'échappant de son béret bleu et plaquées sur les tempes, faisaient encore ressortir les tons de brique de son teint basané ; des sourcils noirs contrastaient avec sa chevelure de neige.

Une stricte, froide et propre pauvreté se trahissait dans les moindres détails de l'ajustement du bonhomme et jusque dans sa pose d'une résignation morne. Le dos appuyé au pan intérieur de la cheminée, il avait croisé au-dessus de son genou ses grosses mains rougies de tons violacés comme des feuilles de vigne à la fin de l'automne, et faisait un pendant immobile au chat. Béelzébuth, accroupi dans la cendre, en face de lui, d'un air famélique et piteux, suivait avec une attention profonde le bouillonnement asthmatique de la marmite.

« Le jeune maître tarde bien à venir aujourd'hui, murmura Pierre, en voyant à travers les vitres enfumées et jaunes de l'unique fenêtre qui éclairât la cuisine diminuer et s'éteindre la dernière barre lumineuse du couchant au bord d'un ciel rayé de nuages lourds et gros de pluie. Quel plaisir peut-il trouver à se promener seul ainsi dans les landes ? Il est vrai que ce château est si triste qu'on ne saurait s'ennuyer davantage ailleurs. »

Un aboi joyeusement enroué se fit entendre ; le cheval frappa du pied dans son écurie et fit grincer sur le bord de sa mangeoire la chaîne qui l'attachait ; le chat noir interrompit le bout de toilette qu'il faisait en passant sa patte humectée préalablement de salive sur ses bajoues et au-dessus de ses oreilles écourtées, et fit quelques pas vers la porte en animal affectueux et poli qui connaît ses devoirs et s'y conforme.

Le battant s'ouvrit ; Pierre se leva, ôta respectueusement son béret, et le nouveau venu fit son apparition dans la salle, précédé du vieux chien dont nous avons déjà parlé, et qui essayait une gambade et retombait lourdement, appesanti par l'âge.

Le baron de Sigognac, car c'était bien le seigneur de ce castel démantelé qui venait d'entrer dans la cuisine, était un jeune homme de vingt-cinq ou vingt-six ans, quoique au premier abord on lui en eût attribué peut-être davantage, tant il paraissait grave et sérieux. Le sentiment de l'impuissance, qui suit la pauvreté, avait fait fuir la gaieté de ses traits et tomber cette fleur printanière qui veloute les jeunes visages. Des auréoles de bistre cerclaient déjà ses yeux meurtris, et ses joues creuses accusaient assez fortement la saillie des pommettes ; ses moustaches, au lieu de se retrousser gaillardement en crocs, portaient la pointe basse et semblaient pleurer auprès de sa bouche triste ; ses cheveux, négligemment peignés, pendaient par mèches noires au long de sa face pâle avec une absence de coquetterie rare dans un jeune homme qui eût pu passer pour beau, et montraient une renonciation absolue à toute idée de plaire. L'habitude d'un chagrin secret avait fait prendre des plis douloureux à une physionomie qu'un peu de bonheur eût rendue charmante, et la résolution naturelle à cet âge y paraissait plier devant une mauvaise fortune inutilement combattue.

Sa tête était coiffée d'un vieux feutre grisâtre, tout bossué et tout rompu, beaucoup trop large, qui lui descendait jusqu'aux sourcils et le forçait, pour y voir, à relever le nez.

Les manches de son pourpoint cachaient les mains comme les manches d'un froc, et il entrait jusqu'au ventre dans ses bottes à chaudron, ergotées d'un éperon de fer.

Quoiqu'il professât pour la mémoire de son père une vénération toute filiale, et que souvent les larmes lui vinssent aux yeux en endossant ces chères reliques, qui semblaient conserver dans leurs plis les gestes et les attitudes du vieux gentilhomme défunt, ce n'était pas précisément par goût que le jeune Sigognac s'affublait de la garde-robe paternelle. Il ne possédait pas d'autres vêtements et avait été tout heureux de déterrer au fond d'une malle cette portion de son héritage. Ses habits d'adolescent étaient devenus trop petits et trop étroits. Au moins il tenait à l'aise dans ceux de son père. Les paysans, habitués à les vénérer sur le dos du vieux Baron, ne les trouvaient pas ridicules sur celui du fils, et ils les saluaient avec la même déférence ; ils n'apercevaient pas plus les déchirures du pourpoint que les lézardes du château. Sigognac, tout pauvre qu'il fût, était toujours à leurs yeux le seigneur, et la décadence de cette famille ne les frappait pas comme elle eût fait les étrangers ; et c'était cependant un spectacle assez grotesquement mélancolique que de voir passer le jeune Baron dans ses vieux habits, sur son vieux cheval, accompagné de son vieux chien, comme ce chevalier de la Mort de la gravure d'Albrecht Dürer.

Le Baron s'assit en silence devant la petite table, après avoir répondu d'un geste de main bienveillant au salut respectueux de Pierre.

Celui-ci détacha la marmite de la crémaillère, en versa le contenu sur son pain taillé d'avance dans une écuelle de terre commune qu'il posa devant le Baron ; c'était ce potage vulgaire qu'on mange encore en Gascogne, sous le nom de garbure ; puis il tira de l'armoire un bloc de miasson tremblant sur une serviette saupoudrée de farine de maïs et l'apporta sur la table avec la planchette qui la soutenait. Ce mets local avec la garbure graissée par un morceau de lard dérobé, sans doute, à l'appât d'une souricière, vu son exiguïté, formait le frugal repas du Baron, qui mangeait d'un air distrait entre Miraut et Béelzébuth, tous deux en extase et le museau en l'air de chaque côté de sa chaise, attendant qu'il tombât sur eux quelques miettes du festin.

Ce maigre repas terminé, le Baron fit signe à Pierre qu'il voulait se retirer. Pierre, se baissant au foyer, alluma un éclat de bois de pin enduit de résine, sorte de chandelle économique qu'emploient les pauvres paysans, et se mit à précéder le jeune seigneur ; Miraut et Béelzébuth se joignirent au cortège : la lueur fumeuse de la torche faisait vaciller sur les murailles de l'escalier les fresques pâlies et donnait une apparence de vie aux portraits enfumés de la salle à manger dont les yeux noirs et fixes semblaient un regard de pitié douloureuse sur leur descendant.

Si la chambre avait l'air d'une chambre à revenants pendant le jour, c'était encore bien pis le soir à la clarté douteuse de la lampe. La tapisserie prenait des tons livides, et le chasseur, sur un fond de verdure sombre, devenait, ainsi éclairé, un être presque réel. Il ressemblait, avec son arquebuse en joue, à un assassin guettant sa victime, et ses lèvres rouges ressortaient plus étrangement encore sur son visage pâle. On eût dit une bouche de vampire empourprée de sang.

Le temps était devenu mauvais, et de larges gouttes de pluie, poussées par la rafale, tintaient sur les vitres secouées dans leurs mailles de plomb. Quelquefois le vitrage semblait près de ployer et de s'ouvrir, comme si l'on eût fait une pesée à l'extérieur.

Parfois, pour ajouter une note de plus à l'harmonie, un des hiboux nichés sous la toiture exhalait un piaulement semblable au cri d'un enfant égorgé, ou, contrarié par la lumière, venait heurter à la fenêtre avec un grand bruit d'ailes.

Le châtelain de ce triste manoir, habitué à ces lugubres symphonies, n'y faisait aucune attention.

Sigognac prit sur la table un petit volume dont la reliure ternie portait estampé l'écusson de sa famille, et se mit à en tourner les feuilles d'un doigt nonchalant. Si ses yeux parcouraient exactement les lignes, sa pensée était ailleurs ou ne prenait qu'un intérêt médiocre aux odelettes et aux sonnets amoureux de Ronsard, malgré leurs belles rimes et leurs doctes inventions renouvelées des Grecs.

Le jeune Baron, unique survivant de la famille Sigognac, avait bien des motifs de mélancolie. Ses aïeux s'étaient ruinés de différentes manières, soit par le jeu, soit par la guerre ou par le vain désir de briller, en sorte que chaque génération avait légué à l'autre un patrimoine de plus en plus diminué.

Les fiefs, les métairies, les fermes et les terres qui relevaient du château s'étaient envolés pièce à pièce ; et le dernier Sigognac, après des efforts inouïs pour relever la fortune de la famille, n'avait laissé à son fils que ce castel lézardé et les quelques arpents de terre stérile qui l'entouraient.

La pauvreté avait donc bercé le jeune enfant de ses mains maigres, et ses lèvres s'étaient suspendues à une mamelle tarie.

En ce moment, il s'ennuyait si fort qu'il eût été heureux de recevoir une de ces admonestations paternelles dont le souvenir lui faisait venir les larmes aux yeux ; car un coup de pied de père à fils, c'est encore une relation humaine et, depuis quatre ans que le Baron dormait allongé sous sa dalle dans le caveau de famille des Sigognac, il vivait au milieu d'une solitude profonde. Sa jeune fierté répugnait à paraître parmi la noblesse de la province aux fêtes et aux chasses sans l'équipage convenable à sa qualité.

Aussi beaucoup de gens croyaient-ils que les Sigognac étaient éteints, et l'oubli, qui pousse sur les morts encore plus vite que l'herbe, effaçait cette famille autrefois importante et riche, et bien peu de personnes savaient qu'il existât encore un rejeton de cette race amoindrie.

Depuis quelques instants, Béelzébuth paraissait inquiet, il levait la tête comme s'il subodorait quelque chose d'inquiétant.

Un hurlement prolongé de Miraut s'élevant au milieu du silence vint bientôt confirmer la pantomime du chat ; il se passait décidément quelque chose d'insolite aux environs du castel, d'ordinaire si tranquille.

Trois coups frappés assez violemment à la porte du castel retentirent à intervalles mesurés et firent gémir les échos des chambres vides.

Qui pouvait à cette heure venir troubler la solitude du manoir et le silence de la nuit? Quel voyageur malavisé heurtait à cette porte qui ne s'était pas ouverte depuis si longtemps pour un hôte, non par manque de courtoisie de la part du maître, mais par l'absence de visiteurs?

Qui demandait à être reçu dans cette auberge de la famine, dans cette cour plénière du Carême, dans cet hôtel de misère et de lésine?

II

LE CHARIOT DE THESPIS

Sigognac descendit l'escalier, protégeant sa lampe avec sa main contre les courants d'air qui menaçaient de l'éteindre.

Il abaissa la barre de la porte, entrouvrit le battant mobile, et se trouva en face d'un personnage au nez duquel il porta sa lampe. Éclairée par ce rayon, une assez grotesque figure se dessina sur le fond d'ombre : un crâne couleur de beurre rance luisait sous la lumière et la pluie.

Cette tête de fantoche, servie sur une fraise de blancheur équivoque, surmontait un corps pendu dans une souquenille noire qui saluait en arc de cercle avec une affectation de politesse exagérée.

Les saluts accomplis, le burlesque personnage, prévenant sur les lèvres du Baron la question qui allait en jaillir, prit la parole d'un ton légèrement emphatique et déclamatoire :

« Daignez m'excuser, noble châtelain, si je viens frapper moi-même à la poterne de votre forteresse sans me faire précéder d'un page ou d'un nain sonnant du cor, et cela à une heure avancée. Nécessité n'a pas de loi et force les gens du monde les plus polis à des barbarismes de conduite.

« – Que voulez-vous ? interrompit assez sèchement le Baron ennuyé par le verbiage du vieux drôle.

– L'hospitalité pour moi et mes camarades, des princes et des princesses, des Léandres et des Isabelles, des docteurs et des capitaines qui se promènent de bourgs en villes sur le chariot de Thespis, lequel chariot, traîné par des bœufs à la manière antique, est maintenant embourbé à quelques pas de votre château.

– Si je comprends bien ce que vous dites, vous êtes des comédiens de province en tournée et vous avez dévié du droit chemin ?

– On ne saurait mieux élucider mes paroles, répondit l'acteur, et vous parlez de cire. Puis-je espérer que Votre Seigneurie m'accorde ma requête ?

– Quoique ma demeure soit assez délabrée et que je n'aie pas grand-chose à vous offrir, vous y serez toujours un peu moins mal qu'en plein air par une pluie battante. »

Le Pédant, car tel paraissait être son emploi dans la troupe, s'inclina en signe d'assentiment.

Pendant ce colloque, Pierre, éveillé par les abois de Mirraut, s'était levé et avait rejoint son maître sous le porche. Mis au fait de ce qui se passait, il alluma une lanterne, et tous trois se dirigèrent vers la charrette embourbée.

Ce renfort inattendu et surtout l'expérience de Pierre eurent bientôt fait franchir le mauvais pas au lourd chariot, qui, dirigé sur un terrain plus ferme, atteignit le château, passa sous la voûte ogivale et fut rangé dans la cour.

Les bœufs dételés allèrent prendre place à l'écurie à côté du bidet blanc ; les comédiennes sautèrent à bas de la charrette faisant bouffer leurs jupes fripées, et montèrent, guidées par Sigognac, dans la salle à manger, la pièce la plus habitable de la maison.

« Je ne puis vous donner que le couvert, dit le jeune Baron, mon garde-manger ne renferme pas de quoi faire souper une souris. Je vis seul en ce manoir, ne recevant jamais personne, et vous voyez, sans que je vous le dise, que la fortune n'habite pas céans.

– Qu'à cela ne tienne, répliqua le Pédant ; en qualité de munitionnaire de la troupe, je tiens toujours en réserve quelque jambon de Bayonne, quelque pâté de venaison, quelque longe de veau de Rivière, avec une douzaine de flacons de vin de Cahors et de Bordeaux.

– Bien parlé, Pédant, exclama le Léandre ; va chercher les provisions, et, si ce seigneur le permet et daigne souper avec nous, dressons ici même la table du festin. Il y a dans ces buffets assez de vaisselle, et ces dames mettront le couvert. »

Au signe d'acquiescement que fit le Baron tout étourdi de l'aventure, l'Isabelle et la donna Sérafina, assises toutes deux près de la cheminée, se levèrent et rangèrent les plats sur la table préalablement essuyée par Pierre et recouverte d'une vieille nappe usée, mais blanche.

Le Pédant reparut bientôt portant un panier de chaque main, et plaça triomphalement au milieu de la table une forteresse de pâté aux murailles blondes et dorées, qui renfermait dans ses flancs une garnison de becfigues et de perdreaux. Il entoura ce fort gastronomique de six bouteilles, pour ouvrages avancés, qu'il fallait emporter avant de prendre la place. Une langue de bœuf fumée et une tranche de jambon complétèrent la symétrie.

Ne trouvant pas la lueur de la lampe suffisamment rayonnante, le Matamore était allé chercher dans la charrette deux flambeaux de théâtre, en bois entouré de papier doré et munis chacun de plusieurs bougies, renfort qui produisit une illumination assez magnifique.

A leur clarté et à celle des bourrées flambantes, la chambre morte avait repris une espèce de vie.

Sigognac, à qui cette surprise avait d'abord été désagréable, se laissait aller à une sensation de bien-être inconnue. L'Isabelle, donna Sérafina, et même la Soubrette, lui troublaient doucement l'imagination et lui faisaient l'effet plutôt de divinités descendues sur la terre que de simples mortelles. C'étaient, en effet, de fort jolies femmes et qui eussent préoccupé de moins novices que notre jeune Baron. Tout cela lui produisait l'effet d'un rêve, et il craignait à tout moment de se réveiller.

La Sérafina était une jeune femme de vingt-quatre à vingt-cinq ans, à qui l'habitude de jouer les grandes coquettes avait donné l'air du monde et autant de manège qu'à une dame de cour.

Si son habit était fané, sa figure était fraîche, et, d'ailleurs, cette mise paraissait la plus éblouissante du monde au jeune baron de Sigognac, peu habitué à de pareilles magnificences, et qui n'avait jamais vu que des paysannes vêtues d'une jupe de bure et d'une cape de callemande. Il était, du reste, trop occupé des yeux de la belle pour faire attention aux éraillures de son costume.

L'Isabelle était plus jeune que la donna Sérafina, ainsi que l'exigeait son emploi d'ingénue ; elle ne poussait pas non plus aussi loin la braverie du costume et se bornait à une élégante et bourgeoise simplicité. Elle avait le visage mignon, presque enfantin encore, de beaux cheveux d'un châtain soyeux, l'œil voilé par de longs cils, la bouche en cœur et petite, et un air de modestie virginale, plus naturel que feint. Un corsage de taffetas gris, agrémenté de velours noir et de jais, s'allongeait en pointe sur une jupe de même couleur ; une fraise, légèrement empesée, se dressait derrière sa jolie nuque où se tordaient de petites boucles de cheveux follets, et un fil de perles fausses entourait son col ; quoique au premier abord elle attirât moins l'œil que la Sérafina, elle le retenait plus longtemps. Si elle n'éblouissait pas, elle charmait, ce qui a bien son avantage.

La Soubrette méritait en plein l'épithète de *morena* que les Espagnols donnent aux brunes. Sa peau se colorait de tons dorés et fauves comme celle d'une gitana. C'était une de ces femmes que leurs compagnes trouvent laides, mais qui sont irrésistibles pour les hommes et semblent pétries avec du sel, du piment et des cantharides, ce qui ne les empêche pas d'être froides comme des usuriers lorsqu'il s'agit de leurs intérêts. Un costume fantasque, bleu et jaune avec un bavolet de fausse dentelle, composait sa toilette.

Dame Léonarde, la mère noble de la troupe, était vêtue tout de noir comme une duègne espagnole. Des coiffes d'étamine encadraient sa figure grasse à plusieurs mentons, pâlie et comme usée par quarante ans de fard. Des tons d'ivoire jauni et de vieille cire blêmissaient son embonpoint malsain, venu plutôt de l'âge que de la santé.

Comédienne depuis son enfance, dame Léonarde en savait long sur une carrière dont elle avait successivement rempli tous les emplois jusqu'à celui de duègne, accepté si difficilement par la coquetterie, toujours mal convaincue des ravages du temps. Léonarde avait du talent, et, toute vieille qu'elle était, savait se faire applaudir, même à côté des jeunes et jolies, toutes surprises de voir les bravos s'adresser à cette sorcière.

Voilà pour le personnel féminin. Les principaux emplois de la comédie s'y trouvaient représentés, et, s'il manquait un personnage, on racolait en route quelque comédien errant ou quelque amateur de théâtre, heureux de se charger d'un petit rôle, et d'approcher ainsi des Angéliques et des Isabelles. Le personnel mâle se composait du Pédant, du Léandre, du Scapin, du Tyran tragique et du Tranche-montagne.

Le Léandre était un garçon de trente ans que les soins excessifs qu'il prenait de sa personne faisaient paraître beaucoup plus jeune. Ce n'est pas une petite affaire que de représenter, pour les spectatrices, l'amant, cet être mystérieux et parfait, que chacun façonne à sa guise d'après l'*Amadis* ou l'*Astrée*. Aussi messer Léandre se graissait-il le museau de blanc de baleine, et s'enfarinait-il chaque soir de poudre de talc.

Ses camarades prétendaient que, même à la ville, il mettait une pointe de rouge pour s'aviver l'œil.

Il ponctuait ses phrases de soupirs et faisait, en parlant des choses les plus indifférentes, des clins d'œil, des airs penchés et des mines à crever de rire ; mais les femmes trouvaient cela charmant.

Le Scapin avait une tête de renard, futée, pointue, narquoise : ses sourcils remontaient sur son front en accent circonflexe, découvrant un œil émerillonné toujours en mouvement, et dont la prunelle jaune tremblotait comme une pièce d'or sur du vif-argent ; des pattes d'oie de rides malignes se plissaient à chaque coin de ses paupières pleines de mensonges, de ruses et de fourberies.

Sa voix fausse, tantôt haute, tantôt basse, procédait par

brusques changements de tons et glapissements bizarres, qui surprenaient et faisaient rire sans qu'on en eût envie ; ses mouvements, inattendus et comme déterminés par la détente subite d'un ressort caché, présentaient quelque chose d'illogique et d'inquiétant, et paraissaient servir plutôt à retenir l'interlocuteur qu'à exprimer une pensée ou un sentiment.

Quant au Tyran, c'était un fort bon homme que la nature avait doué, sans doute par plaisanterie, de tous les signes extérieurs de la férocité. Jamais âme plus débonnaire ne revêtit une enveloppe plus rébarbative.

Une voix de taureau à faire trembler les vitres et remuer les verres sur la table ne contribuait pas peu à entretenir la terreur qu'inspirait cet aspect de Croquemitaine rehaussé par un pourpoint de velours noir d'une mode surannée.

Le Tranche-montagne, lui, était maigre, hâve, noir et sec comme un pendu d'été. Sa peau semblait un parchemin collé sur des os, un grand nez recourbé en bec d'oiseau de proie, et dont l'arête mince luisait comme de la corne, élevait sa cloison entre les deux côtés de sa figure aiguisée en navette, et encore allongée par une barbiche pointue.

Le commencement du repas fut silencieux ; les grands appétits sont muets comme les grandes passions ! mais, les premières furies apaisées, les langues se dénouèrent. Le jeune Baron, qui peut-être ne s'était pas rassasié depuis le jour où il avait été sevré, bien qu'il eût la meilleure envie du monde de paraître amoureux et romanesque devant la Sérafina et l'Isabelle, mangeait ou plutôt engloutissait avec une ardeur qui n'eût pas laissé soupçonner qu'il eût soupé déjà. Le Pédant, que cette fringale juvénile amusait, empilait sur l'assiette du sieur de Sigognac des ailes de perdrix et des tranches de jambon, aussitôt disparues que des flocons de neige sur une pelle rouge.

La vie semblait revenue à cette habitation morte ; il y avait de la lumière, de la chaleur et du bruit. Les comédiennes, ayant bu deux doigts de vin, pépiaient comme des perruches sur leurs bâtons et se complimentaient sur leurs succès réciproques.

Sigognac, quoique la mâle honte le tînt à la gorge, et qu'il n'en laissât sortir que des phrases embrouillées, admirait fort l'Isabelle, et ses yeux parlaient pour sa bouche. La jeune fille s'était aperçue de l'effet qu'elle produisait sur le jeune Baron, et lui répondait par quelques regards langoureux, au grand déplaisir du Tranche-montagne, secrètement amoureux de cette beauté, quoique sans espoir, vu son emploi grotesque. Un autre plus adroit et plus audacieux que Sigognac eût poussé sa pointe ; mais notre pauvre Baron n'avait point appris les belles manières de la cour dans son castel délabré, et, quoiqu'il ne manquât ni de lettres ni d'esprit, il paraissait en ce moment assez stupide.

La nuit se passa sans autre incident qu'une frayeur de l'Isabelle causée par Béelzébuth, qui s'était pelotonné sur sa poitrine, en manière de Smarra, et ne voulait point se retirer, trouvant le coussin fort doux.

Quant à Sigognac, il ne put fermer l'œil, soit qu'il n'eût point l'habitude de dormir hors de son lit, soit que le voisinage de jolies femmes lui fantasiât la cervelle. Nous croirions plutôt qu'un vague projet commençait à se dessiner dans son esprit et le tenait éveillé et perplexe. La venue de ces comédiens lui semblait un coup du sort et comme une ambassade de la Fortune pour l'inviter à sortir de cette masure féodale où ses jeunes années moisissaient dans l'ombre et s'étiolaient sans profit.

Le jour commençait à se lever, et déjà des lueurs bleuâtres filtrant par les vitres à mailles de plomb faisaient paraître la lumière des lampes près de s'éteindre d'un jaune livide et malade.

La Soubrette s'éveilla la première sous ce baiser matinal ; elle se dressa sur ses petits pieds, secoua ses jupes comme un oiseau ses plumes, passa la paume de ses mains sur ses cheveux pour leur redonner quelque lustre, et, voyant que le baron de Sigognac était assis sur son fauteuil, l'œil clair comme un basilic, elle se dirigea de son côté, et le salua d'une jolie révérence de comédie.

« Je regrette, dit Sigognac en rendant le salut à la Soubrette, que l'état de délabrement de cette demeure, plus faite pour loger des fantômes que des êtres vivants, ne m'ait pas permis de vous recevoir d'une façon plus convenable ; j'aurais voulu vous faire reposer entre des draps de toile de Hollande, sous une courtine de damas des Indes au lieu de vous laisser morfondre sur ce siège vermoulu.

— Ne regrettez rien, monsieur, répondit la Soubrette ; sans vous nous aurions passé la nuit dans un chariot embourbé, à grelotter sous une pluie battante, et le matin nous aurait trouvés fort mal en point. D'ailleurs, ce gîte que vous dédaignez est magnifique à côté des granges ouvertes à tous les vents, où nous sommes souvent forcés de dormir sur des bottes de paille, tyrans et victimes, princes et princesses, Léandres et soubrettes, dans notre vie errante de comédiens allant de bourgs en villes. »

En ce moment, Pierre entra pour remettre la salle en ordre, jeter du bois dans la cheminée, où quelques tisons consumés blanchissaient sous une robe de peluche, et faire disparaître les restes du festin, si répugnants la faim satisfaite.

La flamme qui brilla dans l'âtre, léchant une plaque de fonte aux armes de Sigognac peu habituée à de pareilles caresses, réunit en un cercle toute la bande comique, qu'elle illuminait de ses lueurs vives. Un feu clair et flambant est toujours agréable après une nuit sinon blanche, du moins grise, et le malaise, qui se lisait sur toutes les figures en grimaces et en meurtrissures plus ou moins visibles, s'évanouit complètement, grâce à cette influence bienfaisante. Isabelle tendait vers la cheminée les paumes de ses petites mains, teintes de reflets roses, et, vermillonnée de ce léger fard, sa pâleur ne se voyait pas. Donna Sérafina, plus grande et plus robuste, se tenait debout derrière elle, comme une sœur aînée qui, moins fatiguée, laisse s'asseoir sa jeune sœur. Quant au Tranche-montagne, perché sur une de ses jambes héronnières, il rêvait à demi éveillé comme un oiseau aquatique au bord d'un marais, le bec dans son jabot, le pied replié sous le ventre. Blazius, le Pédant, passant sa langue sur ses lèvres, soulevait les bouteilles les unes après les autres pour voir s'il y restait quelque perle de liqueur.

« Vous allez faire un mauvais déjeuner, j'en ai bien peur, dit Sigognac à ses hôtes, mais encore vaut-il mieux mal déjeuner que de ne pas déjeuner du tout, et il n'y a pas, à six lieues à la ronde, le moindre cabaret ni le moindre bouchon. L'état de ce château vous dit que je ne suis pas riche, mais, comme ma pauvreté ne vient que des dépenses qu'ont faites mes ancêtres à la guerre pour la défense de nos rois, je n'ai point à en rougir.

– Non, certes, monsieur, répondit l'Hérode de sa voix de basse, et tel qui se targue de ses biens serait embarrassé d'en dire la source. Quand le traitant s'habille de toile d'or, la noblesse a des trous à son manteau, mais par ces trous on voit l'honneur.

– Ce qui m'étonne, ajouta Blazius, c'est qu'un gentilhomme accompli, comme paraît l'être monsieur, laisse ainsi se consumer sa jeunesse au fond d'une solitude où la Fortune ne peut venir le chercher, quelque envie qu'elle en ait ; si elle passait devant ce château, dont l'architecture pouvait avoir fort bonne mine il y a deux cents ans, elle continuerait son chemin, le croyant inhabité. Il faudrait que monsieur le Baron allât à Paris, l'œil et le nombril du monde, le rendez-vous des beaux esprits et des vaillants, l'Eldorado et le Chanaan des Espagnols français et des Hébreux chrétiens, la terre bénite éclairée par les rayons du soleil de la cour. Là, il ne manquerait pas d'être distingué selon son mérite et de se pousser, soit en s'attachant à quelque grand, soit en faisant quelque action d'éclat dont l'occasion se trouverait infailliblement.

– J'y ai bien songé quelquefois, mais je n'ai point d'amis à Paris, et les descendants de ceux qui ont pu connaître ma famille lorsqu'elle était plus riche et remplissait des fonctions à la cour ne se soucieront pas beaucoup d'un Sigognac hâve et maigre, arrivant avec bec et ongles du haut de sa tour ruinée pour prendre sa part de la proie commune. Et puis, je ne vois pas pourquoi je rougirais de le dire, je n'ai point d'équipage, et je ne saurais paraître sur un pied digne de mon nom ; je ne sais même, en réunissant toutes mes ressources et celles de Pierre, si je pourrais arriver jusqu'à Paris.

– Mais vous n'êtes pas obligé, répliqua Blazius, d'entrer triomphalement dans la grande ville, comme un César romain monté sur un char traîné par un quadrige de chevaux blancs. Si notre humble char à bœufs ne révolte pas l'orgueil de Votre Seigneurie, venez avec nous à Paris, puisque notre troupe s'y rend. Tel brille présentement qui a fait son entrée pédestrement, avec son paquet au bout de sa rapière et tenant ses souliers à la main de peur de les user. »

Il flottait, incertain entre le oui et le non, et pesait ces deux monosyllabes décisifs dans la balance de la réflexion, lorsque Isabelle, s'avançant d'un air gracieux et se plaçant devant le Baron et Blazius, dit cette phrase qui mit fin aux incertitudes du jeune homme :

« Notre poète, ayant fait un héritage, nous a quittés, et monsieur le Baron pourrait le remplacer, car j'ai trouvé, sans le vouloir, en ouvrant un Ronsard qui était sur la table, près de son lit, un sonnet surchargé de ratures, qui doit être de sa composition ; il ajusterait nos rôles, ferait les coupures et les additions nécessaires, et, au besoin, écrirait une pièce sur l'idée qu'on lui donnerait. J'ai précisément un canevas italien où se trouverait un joli rôle pour moi, si quelqu'un voulait donner du tour à la chose. »

En disant cela, l'Isabelle jetait au Baron un regard si doux, si pénétrant que Sigognac n'y put résister.

Le repas terminé, pendant que le bouvier tournait les courroies du joug autour des cornes de ses bœufs, Isabelle et Sérafine eurent la fantaisie de descendre au jardin, qu'on apercevait de la cour.

« J'ai peur, dit Sigognac, en leur offrant la main pour franchir les marches descellées et moussues, que vous ne laissiez quelques morceaux de votre robe aux griffes des ronces, car si l'on dit qu'il n'y a pas de rose sans épines, il y a, en revanche, des épines sans rose. »

Le jeune Baron disait cela de ce ton d'ironie mélancolique qui lui était ordinaire lorsqu'il faisait allusion à sa pauvreté ; mais, comme si le jardin déprécié se fût piqué d'honneur, deux petites roses sauvages, ouvrant à demi leurs cinq pétales autour de leurs pistils jaunes, brillèrent subitement sur une branche transversale qui barrait le chemin aux jeunes femmes. Sigognac les cueillit et les offrit galamment à l'Isabelle et à la Sérafine, en disant :

« Je ne croyais pas mon parterre si fleuri que cela ; il n'y pousse que de mauvaises herbes, et l'on n'y peut faire que des bouquets d'ortie et de ciguë ; c'est vous qui avez fait éclore ces deux fleurettes, comme un sourire sur la désolation, comme une poésie parmi les ruines. »

Isabelle mit précieusement l'églantine dans son corsage, en jetant au jeune homme un long regard de remerciement qui prouvait le prix qu'elle attachait à ce pauvre régal. Sérafine, mâchant la tige de la fleur, la tenait à sa bouche, comme pour en faire lutter le rose pâle avec l'incarnat de ses lèvres.

On alla ainsi jusqu'à la statue mythologique dont le fantôme se dessinait au bout de l'allée, Sigognac écartant les frondaisons qui auraient pu fouetter au passage la figure des visiteuses. La jeune ingénue regardait avec une sorte d'intérêt attendri ce jardin en friche si bien en harmonie avec ce château en ruine. Elle songeait aux tristes heures que Sigognac avait dû compter dans ce séjour de l'ennui, de la misère et de la solitude, le front appuyé contre la vitre, les yeux fixés sur le chemin désert, sans autre compagnie qu'un chien blanc et qu'un chat noir. Les traits plus durs de Sérafine n'exprimaient qu'un froid dédain masqué de politesse ; elle trouvait décidément ce gentilhomme par trop délabré, quoiqu'elle eût un certain respect pour les gens titrés.

La douce lueur qui brillait dans les yeux d'Isabelle triompha de la répugnance du Baron. L'attrait d'une aventure galante déguisait à ses propres yeux ce que ce voyage fait de la sorte pouvait avoir d'humiliant. Ce n'était pas déroger que de suivre une comédienne par amour et de s'atteler comme soupirant au chariot comique ; les plus fins cavaliers ne s'en fussent pas fait scrupule.

Aussi eut-il bien vite pris son parti, il pria les comédiens de l'attendre un peu et, tirant Pierre à part, il lui confia son projet. Le fidèle serviteur, quelque peine qu'il eût à se séparer de son maître, ne se dissimulait pas les inconvénients d'un plus long séjour à Sigognac. Il voyait avec peine s'éteindre cette jeunesse dans ce repos morne et cette tristesse indolente, et quoiqu'une troupe de baladins lui semblât un singulier cortège pour un seigneur de Sigognac, il préférait encore ce moyen de tenter la fortune à l'atonie profonde qui, depuis deux ou trois ans surtout, s'emparait du jeune Baron. Il eut bientôt rempli une valise du peu d'effets que possédait son maître, réuni dans une bourse de cuir les quelques pistoles disséminées dans les tiroirs du vieux bahut, auxquelles il eut soin d'ajouter, sans rien dire, son humble pécule, dévouement modeste dont peut-être le Baron ne s'aperçut pas, car Pierre, outre les divers emplois qu'il cumulait au château, avait encore celui de trésorier, une véritable sinécure.

Le cheval blanc fut sellé, car Sigognac ne voulait monter dans la charrette des comédiens qu'à deux ou trois lieues du château, pour dissimuler son départ ; il avait, de la sorte, l'air d'accompagner ses hôtes ; Pierre devait suivre à pied et ramener la bête à l'écurie.

Au moment de quitter cette triste demeure, Sigognac se sentit le cœur oppressé douloureusement. Il embrassa encore une fois du regard ces murailles noires de vétusté et vertes de mousse dont chaque pierre lui était connue ; ces tours aux girouettes rouillées qu'il avait contemplées pendant tant d'heures d'ennui de cet œil fixe et distrait qui ne voit rien ; les fenêtres de ces chambres dévastées qu'il avait parcourues comme le fantôme d'un château maudit, ayant presque peur du bruit de ses pas.

Il pensa aussi aux portraits de la galerie qui lui avaient tenu compagnie dans sa solitude et souri pendant vingt ans de leur immobile sourire.

Il se trouvait ingrat envers ce pauvre vieux castel démantelé qui pourtant l'avait abrité de son mieux et s'était, malgré sa caducité, obstiné à rester debout pour ne pas l'écraser de sa chute, comme un serviteur octogénaire qui se tient sur ses jambes tremblantes tant que le maître est là.

Quand il déboucha de la porte, précédant le chariot, une bouffée de vent lui apporta une fraîche odeur de bruyères lavées par la pluie, doux et pénétrant arôme de la terre natale ; une cloche lointaine tintait, et les vibrations argentines arrivaient sur les ailes de la même brise avec le parfum des landes. C'en était trop, et Sigognac, pris d'une nostalgie profonde, quoiqu'il fût à peine à quelques pas de sa demeure, fit un mouvement pour tourner bride.

Mais cette demi-conversion eut un résultat tout différent de celui qu'on eût pu attendre, car il fit rencontrer le regard de Sigognac avec celui d'Isabelle, et la jeune fille chargea le sien d'une langueur si caressante et d'une muette prière si intelligible que le Baron se sentit pâlir et rougir ; il oublia complètement les murs lézardés de son manoir, et le parfum de la bruyère, et la vibration de la cloche, qui cependant continuait toujours ses appels mélancoliques, donna une brusque saccade de bride à son cheval, et le fit se porter en avant d'une vigoureuse pression de bottes. Le combat était fini ; Isabelle avait vaincu.

Les tours en poivrière de Sigognac étaient déjà cachées à demi derrière les touffes d'arbres ; le Baron se haussa sur sa selle pour les voir encore, et, en ramenant les yeux à terre, il aperçut Miraut et Béelzébuth, dont les physionomies dolentes exprimaient toute la douleur que peuvent montrer des masques d'animaux.

Les deux animaux suivirent quelque temps de l'œil Sigognac, qui avait mis sa monture au trot pour rejoindre la charrette, et, l'ayant perdu de vue à un détour de la route, reprirent fraternellement le chemin du manoir.

Le moment de la séparation du maître et du serviteur était arrivé, moment pénible, car Pierre avait vu naître Sigognac et remplissait plutôt auprès du Baron le rôle d'un humble ami que celui d'un valet.

« Que Dieu conduise Votre Seigneurie, dit Pierre en s'inclinant sur la main que lui tendait le Baron, et lui fasse relever la fortune des Sigognac ; je regrette qu'elle ne m'ait pas permis de l'accompagner.

— Qu'aurais-je fait de toi, mon pauvre Pierre, dans cette vie inconnue où je vais entrer ? Avec si peu de ressources, je ne puis véritablement charger le hasard du soin de deux existences. Au château, tu vivras toujours à peu près ; nos anciens métayers ne laisseront pas mourir de faim le fidèle serviteur de leur maître. D'ailleurs, il ne faut pas mettre la clef sous la porte du manoir des Sigognac et l'abandonner aux orfraies et aux couleuvres comme une masure visitée par la mort et hantée des esprits ; l'âme de cette antique demeure existe encore en moi, et, tant que je vivrai, il restera près de son portail un gardien pour empêcher les enfants de viser son blason avec les pierres de leur fronde. »

Le domestique fit un signe d'assentiment, car il avait, comme tous les anciens serviteurs attachés aux familles nobles, la religion du manoir seigneurial, et Sigognac, malgré ses lézardes, ses dégradations et ses misères, lui paraissait encore un des plus beaux châteaux du monde.

« Et puis, ajouta en souriant le Baron, qui aurait soin de Bayard, de Miraut et de Béelzébuth ?

– C'est vrai, maître », répondit Pierre ; et il prit la bride de Bayard, dont Sigognac flattait le col avec des plamussades en manière de caresse et d'adieu.

En se séparant de son maître, le bon cheval hennit à plusieurs reprises, et longtemps encore Sigognac put entendre, affaibli par l'éloignement, l'appel affectueux de la bête reconnaissante.

La soirée fut triste à Sigognac ; les portraits avaient l'air encore plus maussade et plus rébarbatif qu'à l'ordinaire, ce qu'on n'eût pas cru possible ; l'escalier retentissait plus sonore et plus vide, les salles semblaient s'être agrandies et dénudées. Le vent piaulait étrangement dans les corridors, et les araignées descendaient du plafond au bout d'un fil, inquiètes et curieuses. Les lézardes des murailles bâillaient largement comme des mâchoires distendues par l'ennui ; la vieille maison démantelée paraissait avoir compris l'absence du jeune maître et s'en affliger.

Sous le manteau de la cheminée, Pierre partageait son

maigre repas entre Miraut et Béelzébuth, à la lueur fumeuse d'une chandelle de résine, et dans l'écurie on entendait Bayard tirer sa chaîne et tiquer contre sa mangeoire.

III

L'AUBERGE DU SOLEIL BLEU

Le hameau se composait de cinq ou six cabanes éparses sous des arbres d'une assez belle venue, dont un peu de terre végétale, accrue par les fumiers et les détritus de toutes sortes, avait favorisé la croissance. Ces maisons faites de torchis, de pierrailles, de troncs à demi équarris, de bouts de planches, couvertes de grands toits de chaume brunis de mousse et tombant presque jusqu'à terre, avec leurs hangars où traînaient quelques instruments aratoires déjetés et souillés de boue, semblaient plus propres à loger des animaux immondes que des créatures façonnées à l'image de Dieu ; aussi quelques cochons noirs les partageaient-ils avec leurs maîtres sans montrer le moindre dégoût, ce qui prouvait peu de délicatesse de la part de ces sangliers intimes.

La maison devant laquelle les bœufs s'étaient arrêtés avec cet instinct des animaux qui n'oublient jamais l'endroit où ils ont trouvé provende et litière était une des plus considérables du village. Elle se tenait avec une certaine assurance sur le bord de la route d'où les autres chaumines se retiraient honteuses de leur délabrement, et masquant leur nudité de quelques poignées de feuillages comme de pauvres filles laides surprises au bain. Sûre d'être la plus belle maison de l'endroit, l'auberge semblait

39

vouloir provoquer les regards, et son enseigne tendait les bras en travers du chemin, comme pour arrêter les passants « à pied et à cheval ».

L'auberge du *Soleil bleu* avait un toit de tuiles, les unes brunies, les autres d'un ton vermeil encore qui témoignaient de réparations récentes, et prouvaient qu'au moins il ne pleuvait pas dans les chambres.

A l'angle d'un des bancs, lorsque les comédiens entrèrent, sommeillait une petite fille de huit à neuf ans, ou du moins qui ne paraissait avoir que cet âge, tant elle était maigre et chétive. Appuyée des épaules au dossier du banc, elle laissait choir sur sa poitrine sa tête d'où pleuvaient de longues mèches de cheveux emmêlés qui empêchaient de distinguer ses traits.

L'Isabelle, la Sérafine et la Soubrette prirent place sur ce banc, et leur poids réuni à celui bien léger de la petite fille suffisait à peine pour contrebalancer la masse de la Duègne, assise à l'autre bout. Les hommes se distribuèrent sur les autres banquettes, laissant par déférence un espace vide entre eux et le baron de Sigognac.

La petite fille, qui dormait à l'autre bout du banc, s'était réveillée et redressée. On pouvait voir son visage qu'elle avait dégagé de ses cheveux qui semblaient avoir déteint sur son front tant il était fauve. Sous le hâle de la figure perçait une pâleur de cire, une pâleur mate et profonde. Aucune couleur aux joues, dont les pommettes saillaient. Sur les lèvres bleuâtres, dont le sourire malade découvrait des dents d'une blancheur nacrée, la peau se fendillait en minces lamelles. Toute la vie paraissait réfugiée dans les yeux.

En ce moment ces yeux étranges exprimaient une admiration enfantine et une convoitise féroce, et ils se tenaient opiniâtrement fixés sur les bijoux de l'Isabelle et de la Sérafine, dont la petite sauvage, sans doute, ne soupçonnait pas le peu de valeur.

Ne pouvant maîtriser sa curiosité, l'enfant étendit sa main brune, délicate et froide comme une main de singe, vers la robe de l'Isabelle, dont ses doigts palpèrent l'étoffe avec un sentiment visible de plaisir et une titillation voluptueuse. Ce velours fripé, miroité à tous ses plis, lui semblait le plus neuf, le plus riche et le plus moelleux du monde.

Les comédiens firent de leur mieux honneur au menu de maître Chirriguirri, et, sans y trouver les exquisités promises, assouvirent leur faim, et surtout leur soif par de longues accolades à l'outre presque désenflée, comme une cornemuse d'où le vent serait sorti.

Ils allaient se lever de table lorsque des abois de chiens et un bruit de pieds de chevaux se firent entendre près de l'auberge. Trois coups frappés à la porte avec une autorité impatiente signalèrent un voyageur qui n'avait pas l'habitude de faire le pied de grue. La Mionnette se précipita vers l'huis, tira le loquet, et un cavalier, lui jetant presque le battant à la figure, entra au milieu d'un tourbillon de chiens qui faillirent renverser la servante et se répandirent dans la salle sautant, gambadant, cherchant les reliefs sur les assiettes desservies et en une minute accomplissant avec leurs langues la besogne de trois laveuses de vaisselle.

Quelques coups de fouet vigoureusement appliqués sur l'échine, sans distinction d'innocents et de coupables, calmèrent comme par enchantement cette agitation ; les chiens se réfugièrent sous les bancs, haletants, tirant la langue, posèrent leurs têtes sur leurs pattes ou s'arrondirent en boule, et le cavalier, faisait bruyamment résonner les molettes de ses éperons, entra dans la chambre où mangeaient les comédiens avec l'assurance d'un homme qui est toujours chez lui quelque part qu'il se trouve. Chirriguirri le suivait, le béret à la main, d'un air obséquieux et presque craintif, lui qui cependant n'était pas timide.

Le cavalier, debout sur le seuil de la chambre, toucha légèrement le bord de son feutre et parcourut d'un œil tranquille le cercle des comédiens qui lui rendaient son salut.

Il pouvait avoir trente ou trente-cinq ans ; des cheveux blonds frisés en spirale encadraient sa tête sanguine et joviale, dont les tons roses tournaient au rouge sous l'impression de l'air et des exercices violents.

Le front qu'il découvrit en jetant son feutre sur un escabeau présentait des tons blancs et satinés, préservé qu'il était habituellement des ardeurs du soleil par l'ombre du chapeau, et indiquait que ce gentilhomme, avant qu'il eût quitté la cour pour la campagne, devait avoir le teint fort délicat. En somme, la physionomie était agréable, et la gaieté du franc compagnon y tempérait à propos la fierté du noble.

Le marquis venait de suivre la chasse avec la belle Yolande, et il s'était adonisé de son mieux, voulant soutenir son ancienne réputation de braverie, car il avait été admiré au Cours-la-Reine parmi les raffinés et les gens du bel air.

Isabelle souriait au Baron, qui lui parlait bas, de ce sourire languissant et vague, caresse de l'âme, témoignage de sympathie plutôt qu'expression de gaieté, auquel ne sauraient se méprendre ceux qui ont un peu l'habitude des femmes, et cette expérience ne manquait pas au marquis.

La présence de Sigognac dans cette troupe de bohèmes ne le surprit plus, et le mépris que lui inspirait l'équipement délabré du pauvre Baron diminua de beaucoup. Cette entreprise de suivre sa belle sur le chariot de Thespis à travers le hasard des aventures comiques ou tragiques lui parut d'une imaginative galante et d'un esprit délibéré. Il fit un signe d'intelligence à Sigognac pour lui marquer qu'il l'avait reconnu et comprenait son dessein ; mais en véritable homme de cour il respecta son incognito, et ne parut plus s'occuper que de la Soubrette, à qui il débitait des galanteries superlatives, moitié vraies, moitié moqueuses, qu'elle acceptait de même avec des éclats de rire propres à montrer jusqu'au gosier sa denture magnifique.

Le marquis, désireux de pousser une aventure qui se présentait si bien, jugea à propos de se dire tout à coup fort épris du théâtre et bon juge en matière de comédie. – Il se plaignit de manquer en province de ce plaisir propre à exercer l'intellect, affiner le langage, augmenter la politesse et perfectionner les mœurs, et, s'adressant au Tyran, qui paraissait le chef de la troupe, il lui demanda s'il n'avait pas d'engagements qui l'empêchassent de donner quelques représentations des meilleures pièces de son répertoire au château de Bruyères, où il serait facile de dresser un théâtre dans la grande salle ou dans l'orangerie.

Le Tyran, souriant d'un air bonasse dans sa large barbe de crin, répondit que rien n'était plus facile, et que sa troupe, une des plus excellentes qui courussent la province, était au service de Sa Seigneurie, depuis le Roi jusqu'à la Soubrette, ajouta-t-il avec une feinte bonhomie.

« Voilà qui tombe on ne peut mieux, répondit le marquis, et pour les conditions il n'y aura point de difficulté ;

vous fixerez vous-même la somme ; on ne marchande point avec Thalie, laquelle est une muse fort considérée d'Apollon, et aussi bien vue à la cour qu'à la ville et en province. »

Il se faisait déjà tard, et l'on devait repartir le matin de très bonne heure, car le château de Bruyères était assez éloigné, et si un cheval barbe peut, par les chemins de traverse, franchir aisément une distance de trois ou quatre lieues, un chariot pesamment chargé et traîné sur une grande route sablonneuse par des bœufs déjà fatigués y met un espace de temps beaucoup plus considérable.

Les femmes se retirèrent dans une espèce de soupente, où l'on avait jeté des bottes de paille ; les hommes restèrent dans la salle, s'accommodant du mieux qu'ils purent sur les bancs et les escabeaux.

IV

BRIGANDS POUR LES OISEAUX

Retournons maintenant à la petite fille que nous avons laissée endormie sur le banc d'un sommeil trop profond pour ne pas être simulé. Son attitude nous semble à bon droit suspecte, et la féroce convoitise avec laquelle ses yeux sauvages se fixaient sur le collier de perles d'Isabelle demande à ce qu'on surveille ses démarches.

En effet, dès que la porte se fut refermée sur les comédiens, elle se laissa couler du rebord de la banquette sur ses pieds, se dressa, rejeta ses cheveux en arrière par un mouvement qui lui était familier, et se dirigea vers la porte, qu'elle ouvrit sans faire plus de bruit qu'une ombre.

Sûre alors d'être hors de vue du logis, elle prit sa course, sautant les fossés d'eau croupie, enjambant les sapins abattus et bondissant sur les bruyères comme une biche ayant une meute après elle.

Au-delà, de chaque côté de la route, s'étendaient les bruyères d'un violet sombre, où flottaient des bancs de vapeurs grisâtres auxquelles les rayons de l'astre nocturne donnaient un air de fantômes en procession, bien fait pour porter la terreur en des âmes superstitieuses ou peu habituées aux phénomènes de la nature dans ces solitudes.

Bientôt un monceau de feuilles parut s'agiter, fit le gros

dos, se secoua comme une bête endormie qu'on réveille, et une forme humaine se dressa lentement devant la petite.

« C'est toi, Chiquita, dit l'homme. Quelle nouvelle ? Je ne t'attendais plus et faisais un somme. »

L'homme qu'avait réveillé l'appel de Chiquita était un gaillard de vingt-cinq ou trente ans, de taille moyenne, maigre, nerveux et paraissant propre à toutes les mauvaises besognes ; il pouvait être braconnier, contrebandier, faux saunier, voleur et coupe-jarrets, honnêtes industries qu'il pratiquait les unes après les autres ou toutes à la fois, selon l'occurrence.

Sa face, basanée et cuivrée comme celle d'un sauvage caraïbe, faisait briller par le contraste ses yeux d'oiseau de proie et ses dents d'une extrême blancheur, dont les canines très pointues ressemblaient à des crocs de jeune loup. Un mouchoir ceignait son front comme le bandeau d'une blessure, et comprimait les touffes d'une chevelure drue, bouclée et rebelle, hérissée en huppe au sommet de la tête. S'il se fût retourné, on eût pu voir dans son dos, dépassant les deux bords de la ceinture, une immense navaja de Valence, une de ces navajas allongées en poisson, dont la lame se fixe en tournant un cercle de cuivre, et porte sur son acier autant de stries rouges que le brave dont elle est l'arme a commis de meurtres.

« Eh bien ! Chiquita, dit Agostin en passant avec un geste amical sa rude main sur la tête de l'enfant, qu'as-tu remarqué à l'auberge de maître Chirriguirri ?

– Il est venu, répondit la petite, un chariot plein de voyageurs ; on a porté cinq grands coffres sous le hangar, qui semblaient assez lourds, car il fallait deux hommes pour chacun.

– Hum ! fit Agostin, quelquefois les voyageurs mettent des cailloux dans leurs bagages pour se créer de la considération auprès des hôteliers ; cela s'est vu.

– Mais, répondit Chiquita, les trois jeunes dames qui sont avec eux ont des galons en passementeries d'or sur leurs habits. L'une d'elles, la plus jolie, a autour du cou un rang de gros grains blancs d'une couleur argentée, et qui brillent à la lumière ; oh ! c'est bien beau ! bien magnifique ! Mon bon Agostin, poursuivit Chiquita d'un ton de voix câlin, si tu coupes le cou à la belle dame, tu me donneras le collier.

– Oui, répondit le brigand, tu es brave et fidèle ; mais nous ne le tenons pas encore, ce collier. Combien as-tu compté d'hommes ?

– Oh ! beaucoup. Un gros et fort avec une large barbe au milieu du visage, un vieux, deux maigres, un qui a l'air d'un renard et un autre qui semble un gentilhomme, bien qu'il ait des habits mal en point.

– Six hommes, fit Agostin devenu rêveur en supputant sur ses doigts. Hélas ! ce nombre ne m'eût pas effrayé autrefois ; mais je reste seul de ma bande. Ont-ils des armes, Chiquita ?

– Le gentilhomme a son épée et le grand maigre sa rapière.

– Allons, risquons le coup, et dressons l'embuscade, dit Agostin en prenant sa résolution. Cinq coffres, des broderies d'or, un collier de perles. J'ai travaillé pour moins. »

Le brigand et la petite fille entrèrent dans le bois de sapins ; et, parvenus à l'endroit le plus secret, ils se mirent activement à déranger des pierres et des brassées de broussailles, jusqu'à ce qu'ils eussent mis à nu cinq ou six planches saupoudrées de terre. Agostin souleva les planches, les jeta de côté, et descendit jusqu'à mi-corps dans la noire ouverture qu'elles laissaient béante. Était-ce l'entrée d'un souterrain ou d'une caverne, retraite ordinaire du brigand? la cachette où il serrait les objets volés? l'ossuaire où il entassait les cadavres de ses victimes?

Agostin se courba, parut fouiller au fond de la fosse, se redressa tenant entre les bras une forme humaine d'une roideur cadavérique, qu'il jeta sans cérémonie sur le bord du trou. Cette fosse ouverte, ce bandit arrachant à leur repos les restes de ses victimes, cette petite fille aidant à cette funèbre besogne, tout cela, sous l'ombre noire des sapins, composait un tableau fait pour inspirer l'effroi aux plus braves.

Le bandit prit un des cadavres, le porta sur la crête de l'escarpement, le dressa, et le fit tenir debout en fichant en terre le pieu auquel le corps était lié. Ainsi maintenu, le cadavre singeait assez à travers l'ombre l'apparence d'un homme vivant.

« Hélas! à quoi en suis-je réduit par le malheur des temps, dit Agostin avec un han de saint Joseph. Au lieu d'une bande de vigoureux drôles, maniant le couteau et l'arquebuse comme des soldats d'élite, je n'ai plus que des mannequins couverts de guenilles, des épouvantails à voyageurs, simples comparses de mes exploits solitaires! »

Sa besogne terminée, le bandit alla se planter sur la route pour juger de l'effet de la mascarade. Les brigands de paille avaient l'air suffisamment horrifique et féroce, et l'œil de la peur pouvait s'y tromper dans l'ombre de la nuit ou le crépuscule du matin, à cette heure louche où les vieux saules, avec leurs tronçons de branche, prennent au rebord des fossés la physionomie d'hommes vous montrant le poing ou brandissant des coutelas.

« Agostin, dit Chiquita, tu as oublié d'armer tes mannequins !

– C'est vrai, répondit le brigand. A quoi donc pensais-je ? Les plus beaux génies ont leurs distractions ; mais cela peut se réparer. »

Et il mit au bout de ces bras inertes de vieux fûts d'arquebuse, des épées rouillées, ou même de simples bâtons couchés en joue ; avec cet arsenal, la troupe avait au bord des talus un aspect suffisamment formidable.

« Comme la traite est longue du village à la dînée, ils partiront sans doute à trois heures du matin ; et, quand ils passeront devant l'embuscade, l'aube commencera à poindre, instant favorable, car il ne faut à nos hommes ni trop de lumière ni trop d'ombre. Le jour les trahirait, la nuit les cacherait. En attendant, faisons un somme. Le grincement des roues non graissées du chariot, ce bruit qui met en fuite les loups épouvantés, s'entend de loin et nous réveillera. Nous autres qui ne dormons jamais que d'un œil comme les chats, nous serons bien vite sur pied. »

Le brigand et sa petite complice buvaient à pleines gorgées à la coupe noire du sommeil, au milieu de la lande, quand à l'auberge du *Soleil bleu* le bouvier, frappant le sol de son aiguillon, vint avertir les comédiens qu'il était temps de se mettre en route.

Sigognac, l'esprit agité par la nouveauté de l'aventure et le tumulte de cette vie bohémienne, si différente du silence claustral de son château, marchait à côté du char. Il songeait aux grâces adorables d'Isabelle, dont la beauté et la modestie semblaient plutôt d'une demoiselle née que d'une comédienne errante, et il s'inquiétait de savoir comment il s'y prendrait pour s'en faire aimer, ne se doutant pas que la chose était déjà faite, et que la douce créature, touchée au plus tendre de l'âme, n'attendait pour lui donner son cœur autre chose, sinon qu'il le lui demandât. Le timide Baron arrangeait dans sa tête une foule d'incidents terribles ou romanesques, de dévouements comme on en voit dans les livres de chevalerie, pour amener ce formidable aveu dont la pensée seule lui serrait la gorge; et cependant, cet aveu qui lui coûtait tant, la flamme de ses yeux, le tremblement de sa voix, ses soupirs mal étouffés, l'empressement un peu gauche dont il entourait Isabelle, les réponses distraites qu'il faisait aux comédiens l'avaient déjà prononcé de la façon la plus claire. La jeune femme, quoiqu'il ne lui eût pas dit un mot d'amour, ne s'y était pas trompée.

Cependant le chariot marchait toujours, et, en se rapprochant de la sapinière, Sigognac crut démêler sur le bord de l'escarpement une rangée d'êtres bizarres plantés comme en embuscade et dont les premiers rayons du soleil levant ébauchaient vaguement les formes; mais, à leur parfaite immobilité, il les prit pour de vieilles souches et se prit à rire en lui-même de son inquiétude, et il n'éveilla pas les comédiens comme il en avait d'abord eu l'idée.

Le chariot fit encore quelques tours de roue. Le point brillant sur lequel Sigognac tenait toujours les yeux fixés se déplaça. Un long jet de feu sillonna un flot de fumée blanchâtre; une forte détonation se fit entendre, et une balle s'aplatit sous le joug des bœufs, qui se jetèrent brusquement de côté, entraînant le chariot, qu'un tas de sable retint heureusement au bord du fossé.

Debout, à la tête du char d'où les comédiens s'efforçaient de sortir, Agostin, sa cape de Valence roulée sur son bras, sa navaja au poing, criait d'une voix tonnante:

« La bourse ou la vie ! toute résistance est inutile ; au moindre signe de rébellion ma troupe va vous arquebuser ! »

Pendant que le bandit posait son ultimatum de grand chemin, le Baron, dont le généreux cœur ne pouvait admettre l'insolence d'un pareil maroufle, avait tranquillement dégainé et fondait sur lui l'épée haute. Agostin parait les bottes du Baron avec son manteau et épiait l'occasion de lui lancer sa navaja ; appuyant le manche du couteau à la saignée, et balançant le bras d'un mouvement sec, il envoya la lame au ventre de Sigognac, à qui bien en prit de n'être pas obèse. Une légère retraite de côté lui fit éviter la pointe meurtrière ; la lame alla tomber à quelques pas plus loin. Agostin pâlit, car il était désarmé, et il savait que sa troupe d'épouvantails ne pouvait lui être d'aucun secours. Cependant, comptant sur un effet de terreur, il cria : « Feu ! vous autres ! » Les comédiens, craignant l'arquebusade, firent un mouvement de retraite et se réfugièrent derrière le chariot, où les femmes piaillaient comme des geais plumés vifs.

Désolé du mauvais succès d'une ruse qui habituellement lui réussissait, tant est grande la couardise des gens, et tant la peur grossit les objets, Agostin penchait la tête d'un air piteux.

Isabelle prit dans le chariot un grand morceau d'étoffe dont elle fit présent à Chiquita. « Oh ! c'est le collier de grains blancs que je voudrais », dit l'enfant avec un regard d'ardente convoitise. La comédienne le défit et le passa au cou de la petite voleuse éperdue et ravie. Chiquita roulait en silence les grains blancs sous ses doigts brunis, penchant la tête et tâchant d'apercevoir le collier sur sa petite poitrine maigre, puis elle releva brusquement sa tête, secoua ses cheveux en arrière, fixa ses yeux étincelants sur Isabelle, et dit avec un accent profond et singulier :

« Vous êtes bonne ; je ne vous tuerai jamais ! »

D'un bond, elle franchit le fossé, courut jusqu'à un petit tertre où elle s'assit, contemplant son trésor.

Pour Agostin, après avoir salué, il ramassa ses mannequins démantibulés, les reporta dans la sapinière, et les inhuma de nouveau pour une meilleure occasion. Le chariot, que le bouvier avait rejoint, car à la détonation de l'arquebuse il s'était bravement enfui, laissant ses voyageurs se débrouiller comme ils l'entendraient, se remit pesamment en marche.

V

CHEZ MONSIEUR LE MARQUIS

Aux rayons d'une belle matinée, le château de Bruyères se développait de la façon la plus avantageuse du monde. Les domaines du marquis, situés sur l'ourlet de la lande, se trouvaient en pleine terre végétale, et le sable infertile poussait ses dernières vagues blanches contre les murailles du parc. Un air de prospérité, formant un parfait contraste avec la misère des alentours, réjouissait agréablement la vue dès qu'on y mettait le pied.

Dans un fossé miroitait en carreaux verts une eau brillante et vive dont aucune herbe aquatique n'altérait la pureté, et qui témoignait d'un soigneux entretien. Pour la traverser se présentait un pont de brique et de pierre assez large pour que deux carrosses y pussent rouler de front, et garni de garde-fous à balustres. Ce pont aboutissait à une magnifique grille en fer battu, vrai monument en serrurerie que l'on aurait cru façonné du propre marteau de Vulcain.

C'était une entrée presque royale, et, quand un valet à la livrée du marquis en eut ouvert les portes, les bœufs qui traînaient le chariot hésitèrent à la franchir, comme éblouis par ces magnificences et honteux de leur rusticité. Il fallut une piqûre d'aiguillon pour les décider. Ces braves bêtes trop modestes ne savaient pas que labourage est nourricier de noblesse.

En effet, par une grille semblable, il n'eût dû entrer que des carrosses à trains dorés, à caisses drapées de velours, à portières avec glaces de Venise ou mantelets en cuir de Cordoue ; mais la comédie a ses privilèges, et le char de Thespis pénètre partout.

Toutes ces magnificences émerveillaient au plus haut degré les pauvres comédiens, qui, rarement, avaient été admis en de pareils séjours.

La Soubrette, sûre de ses charmes, niés des femmes mais reconnus des hommes sans conteste, se regardait déjà presque comme chez elle, non sans raison ; elle se disait que le marquis l'avait particulièrement distinguée, et que d'une œillade assassine adressée en plein cœur lui venait subitement ce goût de comédie. Isabelle, qu'aucune visée ambitieuse ne préoccupait, tournait la tête vers Sigognac assis derrière elle dans le chariot, où une sorte de pudeur l'avait fait se réfugier, et de son vague et charmant sourire elle cherchait à dissiper l'involontaire mélancolie du Baron. Elle sentait que le contraste du riche château de Bruyères et du misérable castel de Sigognac devait produire une impression douloureuse sur l'âme du pauvre gentilhomme, réduit par la mauvaise fortune à suivre les aventures d'une charretée de comédiens errants, et, avec son doux instinct de femme, elle jouait tendrement autour de ce brave cœur blessé, digne en tout point d'une meilleure chance.

Rebâti à neuf sous le règne précédent, le château de Bruyères se déployait en perspective au bout du jardin dont il occupait presque toute la largeur. Le style de son architecture rappelait celui des hôtels de la place Royale de Paris. Un grand corps de logis et deux ailes revenant en équerre, de façon à former une cour d'honneur, composaient une ordonnance fort bien entendue et majestueuse, sans ennui.

Rien n'était plus gai à l'œil que l'aspect de ce château, dont les murs de briques et de pierres neuves semblaient avoir les couleurs dont la santé fleurit un visage bien portant. Il donnait l'idée d'une prospérité ascendante, en plein accroissement, mais non subite comme il plaît aux caprices de la Fortune, en équilibre sur sa roue d'or qui tourne, d'en distribuer à ses favoris d'un jour. Sous ce luxe neuf se sentait une richesse ancienne.

Certes le bon Sigognac n'avait jamais senti les dents venimeuses de l'envie mordre son honnête cœur et y infiltrer ce poison vert qui bientôt s'insinue dans les veines, et, charrié avec le sang jusques au bout des plus minces fibrilles, finit par corrompre les meilleurs caractères du monde. Cependant il ne put refouler tout à fait un soupir en songeant qu'autrefois les Sigognac avaient le pas sur les Bruyères, pour être de noblesse plus antique et déjà notoire au temps de la première croisade. Ce château frais, neuf, pimpant, blanc et vermeil comme les joues d'une jeune fille, adorné de toutes recherches et magnificences, faisait une satire involontairement cruelle du pauvre manoir délabré, effondré, tombant en ruine au milieu du silence et de l'oubli, nid à rats, perchoir de hiboux, hospice d'araignées, près de s'écrouler sur son maître désastreux qui l'avait quitté au dernier moment, pour ne pas être écrasé sous sa chute.

Sans le jalouser, il ne pouvait s'empêcher de trouver le marquis bien heureux.

Le marquis de Bruyères, qui de loin avait vu venir le

cortège comique, était debout sur le perron du château, en veste de velours tanné et chausses de même, bas de soie gris et souliers blancs à bout carré, le tout galamment passementé de rubans assortis. Il descendit quelques marches de l'escalier en fer à cheval, comme un hôte poli qui ne regarde pas de trop près à la condition de ses invités ; d'ailleurs la présence du baron de Sigognac dans la troupe pouvait à la rigueur justifier cette condescendance. Il s'arrêta au troisième degré, ne jugeant pas digne d'aller plus loin, il fit de là, aux comédiens, un signe de main amical et protecteur.

D'un mouvement leste et coquet comme celui d'une jeune chatte, la Soubrette s'élança au bord du char, hésita un instant, feignit de perdre l'équilibre, entoura de son bras le col du marquis et descendit à terre avec une légèreté de plume, imprimant à peine sur le sable ratissé la marque de ses petits pieds d'oiseau.

Zerbine (c'était le nom de la Soubrette), par un coup familièrement hardi, s'était poussée dans l'intimité du marquis et se faisait, pour ainsi dire, faire les honneurs du château au détriment des grands rôles et des premiers emplois ; énormité damnable et subversive de toute hiérarchie théâtrale ! « Ardez un peu cette mauricaude, il lui faut des marquis pour l'aider à descendre de charrette », fit intérieurement la Sérafine dans un style peu digne du ton maniéré et précieux qu'elle affectait en parlant ; mais le dépit, entre femmes, emploie volontiers les métaphores de la halle et de la grève, fussent-elles duchesses ou grandes coquettes.

Le char à bœufs, accompagné du Tyran, du Pédant et du Scapin, se dirigea vers une arrière-cour, et avec l'aide des valets du château on eut bientôt extrait du coffre de la voiture une place publique, un palais et une forêt sous forme de trois longs rouleaux de vieille toile ; on en sortit aussi des chandeliers de modèle antique pour les hymens, une coupe de bois doré, un poignard de fer-blanc rentrant dans le manche, des écheveaux de fil rouge destinés à simuler le sang des blessures, une fiole à poison, une urne à contenir des cendres et autres accessoires indispensables aux dénouements tragiques.

Un chariot comique contient tout un monde. En effet, le théâtre n'est-il pas la vie en raccourci, le véritable microcosme que cherchent les philosophes en leurs rêvasseries hermétiques ?

Un esprit ravalé et bourgeoisement prosaïque n'eût fait qu'un cas fort médiocre de ces pauvres richesses, de ces misérables trésors dont le poète se contente pour habiller sa fantaisie et qui lui suffisent avec l'illusion des lumières jointe au prestige de la langue des dieux à enchanter les plus difficiles spectateurs.

D'un air aussi respectueux que s'il eût eu affaire à des rois et princesses véritables, l'intendant vint prendre les comédiens et les conduire à leurs logements respectifs. Dans l'aile gauche du château se trouvaient les appartements et chambres destinés aux visiteurs de Bruyères.

Sigognac mis en possession de son gîte où l'on avait déposé son mince bagage, tout en réfléchissant à la bizarrerie de sa situation, regardait d'un œil surpris, car jamais il ne s'était trouvé en pareille fête, l'appartement qu'il devait occuper pendant son séjour au château. Les murailles, comme le nom de la chambre l'indiquait, étaient tapissées de cuir de Bohême gaufré de fleurs chimériques et de ramages extravagants découpant sur un fond de vernis d'or leurs corolles, rinceaux et feuilles enluminés de couleurs à reflets métalliques luisant comme du paillon. Cela formait une tenture aussi riche que propre descendant de la corniche, jusqu'à un lambris de chêne noir très bien divisé en panneaux, losanges et caissons.

Voulant s'ajuster un peu mieux, Sigognac défit le paquet où Pierre avait renfermé les minces hardes que possédait son maître. Il déplia les diverses pièces de vêtement qu'il contenait, et ne trouva rien à sa guise.

Cette inspection mélancolique absorbait si fort Sigognac qu'il n'entendit pas un coup discrètement frappé à la porte, qui s'entrebâilla, livrant passage d'abord à la tête enluminée, puis au corps obèse de messer Blazius, lequel pénétra dans la chambre avec force révérences exagérées et servilement comiques ou comiquement serviles, dénotant un respect moitié réel, moitié feint.

Quand le Pédant arriva près de Sigognac, celui-ci tenait par les deux manches et présentait à la lumière une chemise fenestrée comme la rose d'une cathédrale, et il secouait la tête d'un air piteusement découragé :

« J'avoue que cela me fâche étrangement, bien que l'on ne doive pas avoir vergogne d'une pauvreté honorable, de paraître ainsi accoutré parmi cette compagnie. Le marquis de Bruyères m'a bien reconnu, quoiqu'il n'en ait fait montre, et il peut trahir mon secret.

— Cela est, en effet, on ne peut plus fâcheux, répliqua le Pédant, mais il y a remède à tout, fors à la mort, comme dit le proverbe. Nous autres, pauvres comédiens, ombres de la vie humaine et fantômes des personnages de toute condition, à défaut de l'*être*, nous avons au moins le *paraître*, qui lui ressemble comme le reflet ressemble à la chose. Quand il nous plaît, grâce à notre garde-robe où sont tous nos royaumes, patrimoines et seigneuries, nous prenons l'apparence de princes, hauts barons, gentils-hommes de fière allure et de galante mine. Si vous voulez accepter un vieux pédant de comédie pour valet de chambre, dit Blazius en se frottant les mains d'un air de contentement, je vais vous adoniser et calamistrer de la belle façon. »

La toilette du Baron fut bientôt achevée, car le théâtre, exigeant des changements rapides de costume, donne beaucoup de dextérité aux comédiens en ces sortes de métamorphoses. Blazius, content de sa besogne, mena par le bout du petit doigt, comme on mène une jeune épousée à l'autel, le baron de Sigognac devant la glace de Venise posée sur la table et lui dit : « Maintenant daignez jeter un coup d'œil sur Votre Seigneurie. »

Sigognac se voyait tel qu'il s'était quelquefois apparu en rêve, acteur et spectateur d'une action imaginaire se passant dans son château rebâti et orné par les habiles architectes du songe pour recevoir une infante adorée arrivant sur une haquenée blanche. Un sourire de gloire et de triomphe voltigea quelques secondes comme une lueur de pourpre sur ses lèvres pâles, et sa jeunesse enfouie si longtemps sous le malheur reparut à la surface de ses traits embellis.

Blazius, debout près de la toilette, contemplait son ouvrage, se reculant pour mieux jouir du coup d'œil, comme un peintre qui vient de donner la dernière touche à un tableau dont il est satisfait.

« Si, comme je l'espère, vous vous poussez à la cour et recouvrez vos biens, donnez-moi pour retraite le gouver-nement de votre garde-robe, dit-il en singeant la courbette d'un solliciteur devant le Baron transformé.

— Je prends note de la requête, répondit Sigognac avec un sourire mélancolique ; vous êtes, messer Blazius, le premier être humain qui m'ayez demandé quelque chose.

— On doit, après le dîner qui nous sera servi particulièrement, rendre visite à M. le marquis de Bruyères pour lui montrer la liste des pièces que nous pouvons jouer, et savoir de lui dans quelle partie du château nous dresserons le théâtre. Vous passerez pour le poète de la troupe, car il ne manque pas par les provinces de beaux esprits qui se mettent parfois à la suite de Thalie, dans l'espoir de toucher le cœur de quelque comédienne ; ce qui est fort galant et bien porté. L'Isabelle est un joli prétexte, d'autant qu'elle a de l'esprit, de la beauté et de la vertu. Les ingénues jouent souvent plus au naturel qu'un public frivole et vain ne les suppose. »

Impatient de sa nature, le marquis vint avant la fin du repas trouver les comédiens à table ; il ne souffrit pas qu'ils se levassent, et quand on leur eut donné à laver, il demanda au Tyran quelles pièces il savait.

« Nous avons souvent joué une pièce, répliqua le Tyran, qui peut-être ne souffrirait pas l'impression, mais qui, pour les jeux de théâtre, reparties comiques, nasardes et bouffonneries, a toujours eu ce privilège de faire rire les plus honnêtes gens.

— N'en cherchez point d'autres, dit le marquis de Bruyères, et comment s'appelle ce bienheureux chef-d'œuvre ?

— *Les Rodomontades du capitaine Matamore.*

— Bon titre, sur ma foi ! La Soubrette a-t-elle un beau rôle ? fit le marquis en lançant un coup d'œil à Zerbine.

— Le plus coquet et le plus coquin du monde, et Zerbine le joue au mieux. C'est son triomphe. Elle y fut toujours claquée, et cela sans cabale ni applaudisseurs apostés. »

Le Tyran, Blazius et Scapin furent conduits à l'orangerie par un valet. C'étaient eux qui prenaient d'ordinaire ces soins d'arrangements matériels. La salle s'accommodait on ne peut mieux à une représentation théâtrale par sa forme oblongue, qui permettait de placer la scène à l'une de ses extrémités et de disposer par files dans l'espace vacant des fauteuils, chaises, tabourets et banquettes, selon le rang des spectateurs et l'honneur qu'on voulait leur faire.

Un plancher légèrement en pente fut posé sur des tréteaux à l'un des bouts de la salle. Des portants de bois destinés à soutenir les coulisses se dressèrent de chaque côté du théâtre. De grands rideaux de tapisseries jouant sur des cordes tendues devaient servir de toile, et en s'ouvrant se masser à droite et à gauche comme les plis d'un manteau d'arlequin. Une bande d'étoffe découpée à dents, comme la garniture d'un ciel de lit, composait la frise et achevait le cadre de la scène.

Comme tous les rôles de la pièce étaient sus, dès que les invités du marquis furent arrivés, la représentation des *Rodomontades du capitaine Matamore* put avoir lieu.

Au premier rang, tout près du théâtre, sur des fauteuils massifs, rayonnaient Yolande de Foix, la duchesse de Montalban, la baronne d'Hagémeau, la marquise de Bruyères et autres personnes de qualité, dans des toilettes d'une richesse et d'une élégance décidées à ne pas se laisser vaincre. Ce n'étaient que velours, satins, toiles d'argent ou d'or, dentelles, guipures, cannetilles, ferrets de diamants, tours de perles, girandoles, nœuds de pierreries qui pétillaient aux lumières et lançaient de folles bluettes ;

nous ne parlons pas des étincelles bien plus vives que jetaient les diamants des yeux. A la cour même, on n'eût pu voir réunion plus brillante.

Sur des tabourets et des banquettes étaient assis, par derrière les femmes, les seigneurs et les gentilshommes, pères, maris ou frères de ces beautés. Les uns se penchaient gracieusement sur le dos des fauteuils, murmurant quelque madrigal à une oreille indulgente, les autres s'éventaient avec le panache de leurs feutres, ou, debout, une main sur la hanche, campés de manière à faire valoir leur belle prestance, promenaient sur l'assemblée un regard satisfait. Un bruissement de conversations voltigeait comme un léger brouillard au-dessus des têtes, et l'attente commençait à s'impatienter, lorsque trois coups solennellement frappés retentirent et firent aussitôt régner le silence.

Les rideaux se séparèrent lentement, et laissèrent voir une décoration représentant une place publique, lieu vague, commode aux intrigues et aux rencontres de la comédie primitive. C'était un carrefour, avec des maisons aux pignons pointus, aux étages en saillie, aux petites fenêtres maillées de plomb, aux cheminées d'où s'échappait naïvement un tire-bouchon de fumée allant rejoindre les nuages d'un ciel auquel un coup de balai n'avait pu rendre toute sa limpidité première. L'une de ces maisons, formant l'angle de deux rues qui tâchaient de s'enfoncer dans la toile par un effort désespéré de perspective, possédait une porte et une fenêtre *praticables*.

Les tuiles des toits tiraient l'œil par la vivacité de leurs tons rouges, le feuillage des arbres plantés devant les maisons était du plus beau vert-de-gris, et les parties bleues du ciel étalaient un azur invraisemblable ; mais l'ensemble faisait suffisamment naître l'idée d'une place publique chez des spectateurs de bonne volonté.

Un rang de vingt-quatre chandelles soigneusement mouchées jetait une forte clarté sur cette honnête décoration peu habituée à pareille fête. Cet aspect magnifique fit courir une rumeur de satisfaction parmi l'auditoire.

La pièce s'ouvrait par une querelle du bon bourgeois Pandolphe avec sa fille Isabelle, qui, sous prétexte qu'elle était amoureuse d'un jeune blondin, se refusait le plus opiniâtrement du monde à épouser le capitaine Matamoros, dont son père était entiché, résistance dans laquelle Zerbine, sa suivante, bien payée par Léandre, la soutenait du bec et des ongles.

Cette bouffonnade, animée par le jeu des acteurs, fut vivement applaudie. Les hommes trouvèrent la Soubrette charmante, les femmes rendirent justice à la grâce décente d'Isabelle, et Matamore réunit tous les suffrages ; il était difficile d'avoir mieux le physique de l'emploi, l'emphase plus grotesque, le geste plus fantasque et plus imprévu. Léandre fut admiré des belles dames, quoique jugé un peu fat par les cavaliers. C'était l'effet qu'il produisait d'ordinaire, et, à vrai dire, il n'en souhaitait pas d'autre, plus soucieux de sa personne que de son talent. La beauté de Sérafine ne manqua pas d'adorateurs, et plus d'un jeune gentilhomme, au risque de déplaire à sa belle voisine, jura sur sa moustache que c'était là une adorable fille.

Sigognac, caché derrière une coulisse, avait joui délicieusement du jeu d'Isabelle, bien qu'il se fût quelquefois intérieurement senti jaloux de la voix tendre qu'elle prenait en répondant à Léandre, n'étant pas encore habitué à ces feintes amours du théâtre qui cachent souvent des aversions profondes et des inimitiés réelles. Aussi, la pièce finie, il complimenta la jeune comédienne d'un air contraint dont elle s'aperçut et n'eut pas de peine à deviner la cause.

« Vous jouez les amoureuses d'une admirable sorte, Isabelle, et l'on pourrait s'y méprendre.

— N'est-ce pas mon métier ? répondit la jeune fille en souriant, et le directeur de la troupe ne m'a-t-il pas engagée pour cela ?

— Sans doute, dit Sigognac ; mais comme vous aviez l'air sincèrement éprise de ce fat qui ne sait rien que montrer ses dents comme un chien qu'on agace, tendre le jarret et faire parade de sa belle jambe !

— C'était le rôle qui le voulait ; fallait-il pas rester là comme une souche avec une mine disgracieuse et revêche ? N'ai-je pas d'ailleurs conservé la modestie d'une jeune fille bien née ? Si j'ai manqué en cela, dites-le moi, je me corrigerai.

— Oh ! non. Vous sembliez une pudique demoiselle, soigneusement élevée dans la pratique des bonnes mœurs, et l'on ne saurait rien reprendre à votre jeu si juste, si vrai, si décent, qu'il imite, à s'y tromper, la nature même.

— Mon cher Baron, voici que les lumières s'éteignent. La compagnie s'est retirée, et nous allons nous trouver dans les ténèbres. Jetez-moi cette cape sur les épaules et veuillez bien me conduire à ma chambre. »

Isabelle et Sigognac montèrent l'escalier, et, charmés par la beauté de la nuit, firent quelques tours sur la terrasse avant de regagner leur chambre. Comme le lieu était découvert, en vue du château, la pudeur de la jeune comédienne ne conçut aucune alarme de cette promenade nocturne. D'ailleurs, la timidité du Baron la rassurait, et bien que son emploi fût celui d'ingénue, elle en savait assez sur les choses d'amour pour ne pas ignorer que le propre de la passion vraie est le respect. Sigognac ne lui avait pas fait d'aveu formel, mais elle se sentait aimée de lui et ne craignait de sa part aucune entreprise fâcheuse à l'endroit de sa vertu.

Avec le charmant embarras des amours qui commencent, ce jeune couple, se promenant au clair de lune côte à côte, le bras sur le bras, dans un parc désert, ne se disait que les choses les plus insignifiantes du monde. Qui les eût épiés eût été surpris de n'entendre que propos vagues, réflexions futiles, demandes et réponses banales. Mais, si les paroles ne trahissaient aucun mystère, le tremblement des voix, l'accent ému, les silences, les soupirs, le ton bas et confidentiel de l'entretien accusaient les préoccupations de l'âme.

Sigognac remit Isabelle à sa chambre, et comme il allait rentrer dans la sienne, il aperçut au fond du corridor un personnage mystérieux drapé d'un manteau couleur de muraille, dont le pan rejeté sur l'épaule cachait la figure jusqu'aux yeux ; un chapeau rabattu dérobait son front, et ne permettait pas de distinguer ses traits non plus que s'il eût été masqué. En voyant Isabelle et le Baron, il s'effaça de son mieux contre le mur ; ce n'était aucun des comédiens, retirés déjà dans leur logis. Le Tyran était plus grand, le Pédant plus gros, le Léandre plus svelte ; il n'avait la tournure ni du Scapin ni du Matamore, reconnaissable d'ailleurs à sa maigreur excessive que l'ampleur de nul manteau n'eût pu dissimuler.

Ne voulant pas paraître curieux et gêner l'inconnu, Sigognac se hâta de franchir le seuil de son logis, non sans avoir remarqué toutefois que la porte de la chambre des tapisseries où demeurait Zerbine restait discrètement entrebâillée, comme attendant un visiteur qui ne voulait point être entendu.

Le lendemain, la troupe fit ses préparatifs de départ. On abandonna le char à bœufs comme trop lent, et le Tyran, largement payé par le marquis, loua une grande charrette à quatre chevaux pour emmener la bande et ses bagages. Léandre et Zerbine se levèrent tard, pour des raisons qu'il n'est pas besoin d'indiquer davantage, seulement l'un avait la mine dolente et piteuse, quoiqu'il essayât de faire à mauvais jeu bon visage ; l'autre rayonnait d'ambition satisfaite. Elle se montrait même bonne princesse envers ses compagnes, et la Duègne, symptôme grave, se rapprochait d'elle avec des obséquiosités patelines qu'elle ne lui avait jamais montrées. Scapin, à qui rien n'échappait, remarqua que la malle de Zerbine avait doublé de poids par quelque sortilège magique. Sérafine se mordait les lèvres en murmurant le mot « créature ! » que la Soubrette ne fit pas semblant d'entendre, contente pour le moment de l'humiliation de la grande coquette.

Enfin, la charrette s'ébranla, et l'on quitta cet hospitalier château de Bruyères. Le Tyran pensait aux pistoles qu'il avait reçues ; le Pédant, aux excellents vins dont il s'était largement abreuvé ; Matamore, aux applaudissements qu'on lui avait prodigués ; Zerbine, aux pièces de taffetas, aux colliers d'or et autres régals ; Sigognac et Isabelle ne pensaient qu'à leur amour, et, contents d'être ensemble, ne retournèrent pas même la tête pour voir encore une fois à l'horizon les toits bleus et les murs vermeils du château.

VI

EFFET DE NEIGE

Comme on peut le penser, les comédiens étaient satisfaits de leur séjour au château de Bruyères. De telles aubaines ne leur advenaient pas souvent dans leur vie nomade ; le Tyran avait distribué les parts, et chacun remuait avec une amoureuse titillation de doigts quelques pistoles au fond de poches habituées à servir souvent d'auberge au diable. Zerbine, rayonnant d'une joie mystérieuse et contenue, acceptait de bonne humeur les brocards de ses camarades sur la puissance de ses charmes. Elle triomphait, ce dont la Sérafine pensait enrager.

La charrette cheminait toujours, et bientôt on arriva à un carrefour. Une grossière croix de bois fendillé par le soleil et la pluie, soutenant un Christ dont un des bras s'était détaché du corps, et, retenu d'un clou rouillé, pendait sinistrement, s'élevait sur un tertre de gazon et marquait l'embranchement de quatre chemins. Un groupe composé de deux hommes et de trois mules était arrêté à la croisée des routes et semblait attendre quelqu'un qui devait passer.

« Pardieu ! voilà un galant équipage, dit le Tyran, et de belles mules d'Espagne à faire leurs quinze ou vingt lieues dans la journée. Si nous étions ainsi montés, nous serions bientôt arrivés devers Paris. Mais qui diable attendentelles donc là ? C'est sans doute quelque relais préparé pour un seigneur.

— Non, reprit la Duègne, la mule est harnachée d'oreillers et couvertures comme pour une femme.

— Alors, dit le Tyran, c'est un enlèvement qui se prépare, car ces deux écuyers en livrée grise ont l'air fort mystérieux.

— Peut-être, répondit Zerbine avec un sourire d'une expression équivoque.

— Est-ce que la dame serait parmi nous ? fit le Scapin ; un des écuyers se dirige vers la voiture, comme s'il voulait parlementer avant d'user de violence.

— Oh ! il n'en sera pas besoin, ajouta Sérafine jetant sur la Soubrette un regard dédaigneux que celle-ci soutint avec une tranquille impudence ; il est des bonnes volontés qui sautent d'elles-mêmes entre les bras des ravisseurs.

— N'est pas enlevée qui veut, répliqua la Soubrette ; le désir n'y suffit pas, il faut encore l'agrément. »

La conversation en était là, quand l'écuyer, faisant signe au charreton d'arrêter ses chevaux, demanda, le béret à la main, si mademoiselle Zerbine n'était pas dans la voiture.

La Soubrette fit bouffer ses jupes, passa le doigt autour de son corsage, comme pour donner de l'aisance à sa poitrine, et, se tournant vers les comédiens, leur tint délibérément cette petite harangue :

« Mes chers camarades, pardonnez-moi si je vous quitte ainsi. Le visage de la Fortune, qui jusqu'à présent ne s'était montré pour moi que rechigné et maussade, me fait un ris gracieux. Je profite de sa bonne volonté, sans doute passagère. En mon humble état de soubrette, je ne pouvais prétendre qu'à des Mascarilles ou Scapins. Les valets seuls me courtisaient, tandis que les maîtres faisaient l'amour aux Lucindes, aux Léonores et aux Isabelles ; c'est à peine si les seigneurs daignaient, en passant, me prendre le menton et appuyer d'un baiser sur la joue le demi-louis d'argent qu'ils glissaient dans la pochette de mon tablier. Il s'est trouvé un mortel de meilleur goût, pensant que, hors du théâtre, la soubrette valait bien la maîtresse, et comme l'emploi de Zerbine n'exige pas une vertu très farouche, j'ai jugé qu'il ne fallait pas désespérer ce galant homme que mon départ contrariait fort. Or donc, laissez-moi prendre mes malles au fond de la voiture, et recevez mes adieux. Je vous retrouverai un jour ou l'autre à Paris, car je suis comédienne dans l'âme, et je n'ai jamais fait de bien longues infidélités au théâtre.

– Ce départ est fâcheux, dit le Tyran, et j'aurais bien voulu retenir cette excellente soubrette ; mais elle n'avait d'autre engagement que sa fantaisie. Il faudra ajuster dans les pièces les rôles de suivante en duègne ou chaperon, chose moins plaisante à l'œil qu'un minois fripon ; mais dame Léonarde a du comique et connaît à fond les tréteaux. Nous nous en tirerons tout de même. »

La charrette se remit en marche d'une allure un peu plus vive que celle du char à bœufs. Elle traversait un pays qui contrastait par son aspect avec la physionomie des landes. Aux sables blancs avaient succédé des terrains rougeâtres fournissant plus de sucs nourriciers à la végétation. Des maisons de pierre, annonçant quelque aisance, apparaissaient çà et là, entourées de jardins clos par des haies vives déjà effeuillées où rougissait le bouton de l'églantier sauvage, et bleuissait la baie de la prunelle. Au bord de la route, des arbres d'une belle venue dressaient leurs troncs vigoureux et tendaient leurs fortes branches dont la dépouille jaunie tachetait l'herbe alentour ou courait au caprice de la brise devant Isabelle et Sigognac, qui, fatigués de la pose contrainte qu'ils étaient obligés de garder dans la voiture, se délassaient en marchant un peu à pied.

« Comment se fait-il, disait tout en marchant Sigognac à Isabelle, que vous qui avez toutes les façons d'une demoiselle de haut lignage par la modestie de votre conduite, la sagesse de vos paroles et le bon choix des termes, vous soyez ainsi attachée à cette troupe errante de comédiens, braves gens, sans doute, mais non de même race et acabit que vous ?

— N'allez pas, reprit Isabelle, pour quelque bonne grâce qu'on me voit, me croire une princesse infortunée ou reine chassée de son royaume, réduite à cette misérable condition de gagner sa vie sur les planches. Mon histoire est toute simple, et puisque ma vie vous inspire quelque curiosité, je vais vous la conter. Loin d'avoir été amenée à l'état que je fais par catastrophes du sort, ruines inouïes ou aventures romanesques, j'y suis née, étant, comme on dit, enfant de la balle. Le chariot de Thespis a été mon lieu de nativité et ma patrie voyageuse. Ma mère, qui jouait les princesses tragiques, était une fort belle femme. Elle prenait ses rôles au sérieux, et même hors de la scène elle ne voulait entendre parler que de rois, princes, ducs et autres grands, tenant pour véritables ses couronnes de clinquant et ses sceptres de bois doré. Quand elle rentrait dans la coulisse, elle traînait si majestueusement le faux velours de ses robes qu'on eût dit que ce fût un flot de pourpre ou la propre queue d'un manteau royal. Avec cette superbe elle fermait opiniâtrement l'oreille aux aveux, requêtes et promesses de ces galantins qui toujours volètent autour des comédiennes comme papillons autour de la chandelle.

Or, ces fiertés et rebuffades étranges en une comédienne toujours soupçonnée de mœurs légères étant venues à la connaissance d'un très haut et puissant prince, il les trouva de bon goût, et se dit que ces mépris du vulgaire profane ne pouvaient procéder que d'une âme généreuse.

Il était jeune, beau, parlait bien, était pressant et possédait ce grand avantage de la noblesse. Que vous dirai-je de plus ? Cette fois la reine n'appela pas ses gardes, et vous voyez en moi le fruit de ces belles amours.

— Cela, dit galamment Sigognac, explique à merveille les grâces sans secondes dont on vous voit ornée. Un sang princier coule dans vos veines. Je l'avais presque deviné !

— Cette liaison, continua Isabelle, dura plus longtemps que n'ont coutume les intrigues de théâtre. Le prince trouva chez ma mère une fidélité qui venait de l'orgueil autant que de l'amour, mais qui ne se démentit point. Malheureusement des raisons d'État vinrent à la traverse ; il dut partir pour des guerres ou ambassades lointaines. D'illustres mariages qu'il retarda tant qu'il put furent négociés en son nom par sa famille. Il lui fallut céder, car il n'avait pas le droit d'interrompre, à cause d'un caprice amoureux, cette longue suite d'ancêtres remontant à Charlemagne et de finir en lui cette glorieuse race. Des sommes assez fortes furent offertes à ma mère pour adoucir cette rupture devenue nécessaire, la mettre à l'abri du besoin et subvenir à ma nourriture et éducation. Mais elle ne voulut rien entendre, disant qu'elle n'acceptait point la bourse sans le cœur et qu'elle aimait mieux que le prince lui fût redevable que non pas elle redevable au prince ; car elle lui avait donné, en sa générosité extrême, ce que jamais il ne lui pourrait rendre. « Rien avant, rien après », telle était sa devise. Elle continua donc son métier de princesse tragique, mais la mort dans l'âme, et depuis ne fit que languir jusqu'à son trépas, qui ne tarda guère. J'étais alors une fillette de sept ou huit ans ; je jouais les enfants et les amours et autres petits rôles proportionnés à ma taille et à mon intelligence. La mort de ma mère me causa un chagrin au-dessus de mon âge, et je me souviens qu'il me fallut fouetter ce jour-là pour me forcer à jouer un des enfants de Médée.

Au milieu du désordre apparent d'une vie vagabonde, j'ai vécu innocente et pure, car pour mes compagnons qui m'avaient vue au berceau, j'étais une sœur ou une fille, et pour les godelureaux j'ai bien su, d'une mine froide, réservée et discrète, les tenir à distance comme il convient, continuant, hors de la scène, mon rôle d'ingénue, sans hypocrisie ni fausse pudeur. »

Ainsi, tout en marchant, Isabelle racontait à Sigognac charmé l'histoire de sa vie et aventures.

« Et le nom de ce grand, dit Sigognac, le savez-vous ou l'avez-vous oublié ?

– Il serait peut-être dangereux pour mon repos de le dire, répondit Isabelle, mais il est resté gravé dans ma mémoire.

– Existe-t-il quelque preuve de sa liaison avec votre mère ?

– Je possède un cachet armorié de son blason, dit Isabelle, c'est le seul joyau que ma mère ait gardé de lui à cause de sa noblesse et signification héraldique qui effaçait l'idée de valeur matérielle, et si cela vous amuse, je vous le montrerai un jour. »

Il serait par trop fastidieux de suivre étape par étape le chariot comique, d'autant plus que le voyage se faisait à petites journées, sans aventures dont il faille garder mémoire. Nous sauterons donc quelques jours, et nous arriverons aux environs de Poitiers. Les recettes n'avaient pas été fructueuses et les temps durs étaient venus pour la troupe. L'argent du marquis de Bruyères avait fini par s'épuiser, ainsi que les pistoles de Sigognac, dont la délicatesse eût souffert de ne pas soulager, dans les mesures de ses pauvres ressources, ses camarades en détresse. Le chariot, traîné par quatre bêtes vigoureuses au départ, n'avait plus qu'un seul cheval, et quel cheval ! une misérable rosse qui semblait s'être nourrie, au lieu de foin et d'avoine, avec des cercles de barrique, tant ses côtes étaient saillantes.

Il n'y avait dans le chariot que les trois femmes. Les hommes allaient à pied pour ne pas surcharger le triste animal, qu'il ne leur était pas difficile de suivre et même de devancer. Tous, n'ayant à exprimer que des pensées désagréables, gardaient le silence et marchaient isolés, s'enveloppant de leur cape du mieux qu'ils pouvaient.

Sigognac, presque découragé, se demandait s'il n'eût pas mieux fait de rester au castel délabré de ses pères, sauf à y mourir de faim à côté de son blason fruste dans le silence et la solitude, que de courir ainsi les hasards des chemins avec des bohèmes.

Il songeait au brave Pierre, à Bayard, à Miraut et à Béelzébuth, les fidèles compagnons de son ennui. Son cœur se serrait quoi qu'il fît, et il lui montait de la poitrine à la gorge ce spasme nerveux qui d'ordinaire se résout en larmes ; mais un regard jeté sur Isabelle, pelotonnée dans sa mante et assise sur le devant de la charrette, lui raffermissait le courage. La jeune femme lui souriait; elle ne paraissait pas se chagriner de cette misère; son âme était satisfaite, qu'importaient les souffrances et les fatigues du corps?

Le paysage qu'on traversait n'était guère propre à dissiper la mélancolie. Une bise aigre sifflait, collant leurs minces capes sur le corps des comédiens, et leur souffletant le visage de ses doigts rouges. Aux tourbillons du vent se mêlèrent bientôt des flocons de neige, montant, descendant, se croisant sans pouvoir toucher la terre ou s'accrocher quelque part, tant la rafale était forte. Ils devinrent si pressés qu'ils formaient comme une obscurité blanche à quelques pas des piétons aveuglés. A travers ce fourmillement argenté, les objets les plus voisins perdaient leur apparence réelle et ne se distinguaient plus.

Ahuri par les flagellations de la neige et du vent, le cheval n'avançait plus qu'à grand-peine. Il soufflait, ses flancs battaient, et ses sabots glissaient à chaque pas. Le Tyran le prit par le bridon, et, marchant à côté de lui, le soutint un peu de sa main vigoureuse. Le Pédant, Sigognac et Scapin poussaient à la roue. Léandre faisait claquer le fouet pour exciter la pauvre bête : la frapper eût été cruauté pure. Quant au Matamore, il était resté quelque peu en arrière, car il était si léger, vu sa maigreur phénoménale, que le vent l'empêchait d'avancer, quoiqu'il eût pris une pierre en chaque main et rempli ses poches de cailloux pour se lester.

Enfin l'ouragan tomba, et la neige, suspendue en l'air, put descendre moins tumultueusement sur le sol. Aussi loin que l'œil pouvait s'étendre, la campagne disparaissait sous un linceul argenté.

« Où donc est Matamore, dit Blazius, est-ce que par hasard le vent l'aurait emporté dans la lune ?

— En effet, ajouta le Tyran, je ne le vois point. Il s'est peut-être blotti sous quelque décoration au fond de la voiture. Hohé ! Matamore ! secoue les oreilles si tu dors, et réponds à l'appel.

— Il faut l'aller chercher sans plus attendre, dit Blazius, avec la lanterne dont la lumière lui servira de guide et d'étoile polaire s'il s'est égaré du droit chemin et vague à travers champs ; car, en ces temps neigeux qui recouvrent les routes de blancs linceuls, il est facile d'errer. »

Le Tyran, Blazius et Sigognac se mirent en quête. Ils firent ainsi près d'un quart de lieue, élevant la lanterne pour attirer le regard du comédien perdu et criant de toute la force de leurs poumons : « Matamore, Matamore, Matamore ! »

A cet appel semblable à celui que les anciens adressaient aux défunts avant de quitter le lieu de sépulture, le silence seul répondait ou quelque oiseau peureux s'envolait en glapissant avec une brusque palpitation d'ailes pour s'aller perdre plus dans la nuit. Parfois un hibou offusqué de la lumière piaulait d'une façon lamentable. Enfin, Sigognac, qui avait la vue perçante, crut démêler à travers l'ombre, au pied d'un arbre, une figure d'aspect fantasmatique, étrangement roide et sinistrement immobile. Il en avertit ses compagnons, qui se dirigèrent avec lui de ce côté en toute hâte.

C'était bien, en effet, le pauvre Matamore. Son dos s'appuyait contre l'arbre et ses longues jambes étendues sur le sol disparaissaient à demi sous l'amoncellement de la neige. Son immense rapière, qu'il ne quittait jamais, faisait avec son buste un angle bizarre, et qui eût été risible en toute autre circonstance. Il ne bougea pas plus qu'une souche à l'approche de ses camarades. Inquiété de cette fixité d'attitude, Blazius dirigea le rayon de la lanterne sur le visage de Matamore, et il faillit la laisser choir tant ce qu'il vit lui causa d'épouvante.

Le masque ainsi éclairé n'offrait plus les couleurs de la vie. Il était d'un blanc de cire. Le nez pincé aux ailes par les doigts noueux de la mort luisait comme un os de seiche ; la peau se tendait sur les tempes. Des flocons de neige s'étaient arrêtés aux sourcils et aux cils, et les yeux dilatés regardaient comme deux yeux de verre. A chaque bout des moustaches scintillait un glaçon dont le poids les faisait courber. Le cachet de l'éternel silence scellait ces lèvres d'où s'étaient envolées tant de joyeuses rodomontades, et la tête de mort sculptée par la maigreur apparaissait déjà à travers ce visage pâle, où l'habitude des grimaces avait creusé des plis horriblement comiques, que le cadavre même conservait, car c'est une misère du comédien que chez lui le trépas ne puisse garder sa gravité.

« Qu'allons-nous faire de ce corps ? interrompit le Tyran, nous ne pouvons le laisser là sur le revers de ce fossé pour que les loups, les chiens et les oiseaux le déchiquettent, encore que ce soit une piteuse viande où les vers mêmes ne trouveront pas à déjeuner.

— Non certes, dit Blazius ; c'était un bon et loyal camarade, et comme il n'est pas bien lourd, tu vas lui prendre la tête, moi je lui prendrai les pieds, et nous le porterons tous deux jusqu'à la charrette. Demain il fera jour, et nous l'inhumerons en quelque coin le plus décemment possible ; car, à nous autres histrions, l'Église marâtre nous ferme l'huis du cimetière, et nous refuse cette douceur de dormir en terre sainte. »

Les deux comédiens se penchèrent, déblayèrent la neige qui recouvrait déjà Matamore comme un linceul prématuré, soulevèrent le léger cadavre qui pesait moins que celui d'un enfant, et se mirent en marche précédés du Baron, qui faisait tomber sur leur route la lumière de la lanterne.

Heureusement personne à cette heure ne passait par le chemin, car c'eût été pour le voyageur un spectacle assez effrayant et mystérieux que ce groupe funèbre éclairé bizarrement par le reflet rougeâtre du falot, et laissant après lui de longues ombres difformes sur la blancheur de la neige. L'idée d'un crime ou d'une sorcellerie lui fût venue sans doute.

A l'aspect de Matamore pâle, roidi, glacé, ayant sur le visage ce masque immobile à travers lequel l'âme ne regarde plus, les comédiennes poussèrent un cri d'épouvante et de douleur. Deux larmes jaillirent même des yeux purs d'Isabelle, promptement gelées par l'âpre bise nocturne. Ses belles mains rouges de froid se joignirent pieusement, et une fervente prière pour celui qui venait de s'engloutir si subitement dans la trappe de l'éternité monta sur les ailes de la foi dans les profondeurs du ciel obscur.

On résolut de partir. Cette heure de repos et une musette d'avoine donnée par Scapin avaient rendu un peu de vigueur au pauvre vieux cheval fourbu. Il paraissait ragaillardi et capable de fournir la traite. Matamore fut couché au fond du chariot, sous une toile. Les comédiennes, non sans un certain frisson de peur, s'assirent sur le devant de la voiture, car la mort fait un spectre de l'ami avec lequel on causait tout à l'heure.

Les hommes cheminèrent à pied, Scapin éclairant la route avec la lanterne dont on avait renouvelé la chandelle, le Tyran tenant le bridon du cheval pour l'empêcher de buter. On n'allait pas bien vite, car le chemin était difficile ; cependant au bout de deux heures on commença à distinguer, au bas d'une descente assez rapide, les premières maisons du village.

Plus d'une tête embéguinée de ses coiffes de nuit se montrait encadrée par une lucarne ou le vantail supérieur d'une porte entrouverte, ce qui facilita au Pédant les négociations nécessaires pour procurer un gîte à la troupe. L'auberge lui fut indiquée, ou du moins une maison qui en tenait lieu, l'endroit n'étant pas très fréquenté des voyageurs, qui d'ordinaire poussaient plus avant.

Le Tyran tambourina de ses gros poings sur la porte, et bientôt un claquement de savates descendant un escalier se fit entendre à l'intérieur. Un rayon de lumière rougeâtre filtra par les fentes du bois. Le battant s'ouvrit, et une vieille, protégeant d'une main sèche qui semblait prendre feu la flamme vacillante d'un suif, apparut dans toute l'horreur d'un négligé peu galant.

Elle introduisit les comédiens dans la cuisine, planta la chandelle sur la table, fouilla les cendres de l'âtre pour y réveiller quelques braises assoupies qui bientôt firent pétiller une poignée de broussailles.

« Nous ne pouvons cependant pas laisser ce pauvre Matamore dans la voiture comme un daim qu'on rapporte de la chasse, dit Blazius ; les chiens de basse-cour n'auraient qu'à le gâter. Il a reçu le baptême, après tout, et il faut lui faire sa veille mortuaire comme à un bon chrétien qu'il était. »

On prit le corps du comédien défunt, qui fut étendu sur la table et respectueusement recouvert d'un manteau. Sous l'étoffe se sculptait à grands plis la rigidité cadavérique et se découpait le profil aigu de la face, peut-être plus effrayante ainsi que dévoilée. Aussi, lorsque l'hôtelière rentra, faillit-elle tomber à la renverse de frayeur à l'aspect de ce mort qu'elle prit pour un homme assassiné dont les comédiens étaient les meurtriers. Déjà, tendant ses vieilles mains tremblotantes, elle suppliait le Tyran, qu'elle jugeait le chef de la troupe, de ne point la faire mourir, lui promettant un secret absolu, même fût-elle mise à la question. Isabelle la rassura, et lui apprit en peu de mots ce qui était arrivé. Alors la vieille alla chercher deux autres chandelles et les disposa symétriquement autour du mort, s'offrant de veiller avec dame Léonarde, car souvent dans le village elle avait enseveli des cadavres, et savait ce qu'il y avait à faire en ces tristes offices.

Tous dormirent mal, d'un sommeil entrecoupé de rêves pénibles, et furent sur pied de bonne heure, car il s'agissait de procéder à la sépulture de Matamore. Faute de drap, Léonarde et l'hôtesse l'avaient enseveli dans un lambeau de vieille décoration représentant une forêt, linceul digne d'un comédien, comme un manteau de guerre d'un capitaine. Quelques restes de peinture verte simulaient, sur la trame usée, des guirlandes et feuillages, et faisaient l'effet d'une jonchée d'herbes semée pour honorer le corps, cousu et paqueté en la forme de momie égyptienne.

Une planche posée sur deux bâtons, dont le Tyran, Blazius, Scapin et Léandre tenaient les bouts, forma la civière. Ainsi disposé, le cortège sortit par une porte de derrière donnant sur la campagne pour éviter les regards et commérages des curieux, et pour gagner un terrain vague que l'hôtesse avait désigné comme pouvant servir de sépulture au Matamore sans que personne s'y opposât, la coutume étant de jeter là les bêtes mortes de maladie, lieu bien indigne et malpropre à recevoir une dépouille humaine, argile modelée à la ressemblance de Dieu ; mais les canons de l'Église sont formels, et l'histrion excommunié ne peut gésir en terre sainte, à moins qu'il n'ait renoncé au théâtre, à ses œuvres et à ses pompes, ce qui n'était pas le cas de Matamore.

Les comédiens déposèrent le corps à terre, et le garçon d'auberge se mit à bêcher vigoureusement le sol, rejetant les mottes noires parmi la neige, chose particulièrement lugubre, car il semble aux vivants que les pauvres défunts, encore qu'ils ne sentent rien, doivent avoir plus froid sous ces frimas pour leur première nuit de tombeau.

Le Tyran relayait le garçon, et la fosse se creusait rapidement. Déjà elle ouvrait les mâchoires assez largement pour avaler d'une bouchée le mince cadavre, lorsque les manants attroupés commencèrent à crier au huguenot et firent mine de charger les comédiens. Quelques pierres même furent lancées, qui n'atteignirent heureusement personne. Outré de colère contre cette canaille, Sigognac mit flamberge au vent et courut à ces malotrus, les frappant du plat de sa lame et les menaçant de la pointe. Au bruit de l'algarade, le Tyran avait sauté hors de la fosse, saisi un des bâtons du brancard, et s'en escrimait sur le dos de ceux que renversait le choc impétueux du Baron. La troupe se dispersa en poussant des cris et des malédictions, et l'on put achever les obsèques de Matamore.

En quelques minutes la fosse fut comblée. Le Tyran éparpilla de la neige dessus pour dissimuler l'endroit, de peur qu'on ne fît quelque affront au cadavre, et, cette besogne terminée :

« Or çà, dit-il, quittons vivement la place, nous n'avons plus rien à faire ici ; retournons à l'auberge. »

Une heure après, la dépense soldée, le chariot se remettait en route.

VII

OÙ LE ROMAN JUSTIFIE SON TITRE

Deux bonnes lieues furent parcourues en silence, car la triste fin de Matamore ajoutait de funèbres pensées à la mélancolie de la situation. Chacun songeait qu'un beau jour il pourrait ainsi être enterré sur le bord du chemin, parmi les charognes, et abandonné aux profanations fanatiques. Ce chariot poursuivant son voyage symbolisait la vie, qui avance toujours sans s'inquiéter de ceux qui ne peuvent suivre et restent mourants ou morts dans les fossés.

Sigognac fit signe de la main qu'il voulait parler. Une légère rougeur, dernière bouffée envoyée du cœur aux joues par l'orgueil nobiliaire, colorait son visage pâle ordinairement, même sous l'âpre morsure de la bise. Les comédiens restèrent silencieux et dans l'attente.

« Si je n'ai pas le talent de ce pauvre Matamore, j'en ai presque la maigreur. Je prendrai son emploi et le remplacerai de mon mieux. Je suis votre camarade et veux l'être tout à fait. Aussi bien j'ai honte d'avoir profité de votre bonne fortune et de vous être inutile en l'adversité. D'ailleurs, qui se soucie des Sigognac au monde ? Mon manoir croule en ruine sur la tombe de mes aïeux. L'oubli recouvre mon nom jadis glorieux, et le lierre efface mon blason sur mon porche désert. Peut-être un jour les trois cigognes secoueront-elles joyeusement leurs ailes argentées et la vie reviendra-t-elle avec le bonheur à cette triste masure où se consumait ma jeunesse sans espoir. En attendant, vous qui m'avez tendu la main pour sortir de ce caveau, acceptez-moi franchement pour l'un des vôtres. Je ne m'appelle plus Sigognac. »

Isabelle posa sa main sur le bras du Baron comme pour l'interrompre ; mais Sigognac ne prit pas garde à l'air suppliant de la jeune fille et il continua :

« Je plie mon titre de baron et le mets au fond de mon portemanteau, comme un vêtement qui n'est plus de mise. Ne me le donnez plus. Nous verrons si, déguisé de la sorte, je serai reconnu par le malheur. Donc je succède à Matamore et prends pour nom de guerre : le capitaine Fracasse !

– Vive le capitaine Fracasse ! s'écria toute la troupe en signe d'acceptation, que les applaudissements le suivent partout ! »

Cette résolution, qui d'abord étonna les comédiens, n'était pas si subite qu'elle en avait l'air. Sigognac la méditait depuis longtemps déjà. Il rougissait d'être le parasite de ces honnêtes baladins qui partageaient si généreusement avec lui leurs propres ressources, sans lui faire jamais sentir qu'il fût importun, et il jugeait moins indigne d'un gentilhomme de monter sur les planches pour gagner bravement sa part que de l'accepter en paresseux, comme aumône ou sportule. La pensée de retourner à Sigognac s'était bien présentée à lui, mais il l'avait repoussée comme lâche et vergogneuse. Ce n'est pas au temps de la déroute que le soldat doit se retirer. D'ailleurs eût-il pu s'en aller, son amour pour Isabelle l'eût retenu, et puis, quoiqu'il n'eût point l'esprit facile aux chimères, il entrevoyait dans de vagues perspectives toutes sortes d'aventures surprenantes, de revirements et de coups de fortune auxquels il eût fallu renoncer en se confinant de nouveau dans sa gentilhommière. Les choses ainsi réglées, on attela le cheval au chariot et l'on se remit en route.

Un vent glacial avait durci et miroité la neige. Le pauvre vieux cheval n'avançait qu'avec une peine extrême.

Malgré le froid, la sueur ruisselait sur ses membres débiles et ses côtes décharnées, battue en écume blanche par le frottement des harnais. Ses poumons haletaient comme des soufflets de forge. Des effarements mystérieux dilataient ses yeux bleuâtres qui semblaient voir des fantômes, et parfois il essayait de se détourner comme arrêté par un obstacle invisible. Sa carcasse vacillante et comme prise d'ivresse donnait tantôt contre un brancard, tantôt contre l'autre. Il élevait la tête découvrant ses gencives, puis il la baissait comme s'il eût voulu mordre la neige. Son heure était arrivée, il agonisait debout en brave cheval qu'il avait été. Enfin il s'abattit et, lançant une faible ruade défensive à l'adresse de la Mort, il s'allongea sur le flanc pour ne plus se relever.

Les comédiens se mirent en marche, Isabelle appuyée au bras de Sigognac, Léandre soutenant Sérafine, Scapin traînant la Duègne, Blazius et le Tyran formant l'avant-garde. Ils coupèrent à travers champs, droit à la lumière, empêchés quelquefois par des buissons ou fossés, et s'enfonçant dans la neige jusqu'au jarret. Enfin, après plus d'une chute, la troupe parvint à une sorte de grand bâtiment entouré de longs murs, avec porte charretière, qui avait l'apparence d'une ferme, autant qu'on pouvait en juger à travers l'ombre. Dans le mur noir la lampe découpait un carré lumineux et faisait voir les vitres d'une petite fenêtre dont le volet n'était pas encore fermé.

« Restez là, vous autres, à quelque distance, fit le Pédant, notre nombre effrayerait peut-être ces bonnes gens qui nous prendraient pour une bande de malandrins voulant envahir leurs pénates rustiques. Comme je suis vieux et de mine paterne et débonnaire, je vais seul heurter à l'huis et entamer les négociations. On n'aura point peur de moi. »

Le conseil était sage et fut suivi. Blazius avec le doigt index recroquevillé frappa contre la porte qui s'entre-bâilla, puis s'ouvrit toute grande. Alors, de la place où ils étaient plantés, les pieds dans la neige, les comédiens virent un spectacle assez inexplicable et surprenant. Le Pédant et le fermier, qui haussait sa lampe pour éclairer au visage l'homme qui le dérangeait ainsi, se mirent, après quelques mots échangés que les acteurs ne pouvaient entendre, à gesticuler d'une manière bizarre et à se ruer en accolades, comme cela se pratique au théâtre pour les reconnaissances.

« Entrez, mesdames et messieurs, dit Bellombre en s'avançant vers les comédiens avec une courtoisie pleine de grâce et sentant un homme qui n'a pas oublié les belles manières sous ses habits à la paysanne. Le vent froid de la nuit pourrait enrouer vos précieux organes, et quelque modeste que soit ma demeure, vous y serez toujours mieux qu'en plein air. »

Blazius avait fait partie d'une troupe où se trouvait Bellombre, et comme leurs emplois ne les mettaient pas en rivalité ils s'appréciaient et étaient devenus fort amis, grâce à un goût commun pour la dive bouteille. Bellombre, qu'une vie fort agitée avait jeté dans le théâtre, s'en était retiré, ayant hérité à la mort de son père de cette ferme et de ses dépendances. Les rôles qu'il jouait exigeant de la jeunesse, il n'avait pas été fâché de disparaître avant que les rides vinssent écrire son congé sur son front. On le croyait mort depuis longtemps et les vieux amateurs décourageaient les jeunes comédiens avec son souvenir.

Tout en soupant, Blazius informa Bellombre de l'état où se trouvait la troupe. Il n'en parut nullement surpris.

« La fortune théâtrale est encore plus femme et plus capricieuse que la fortune mondaine, répondit-il ; sa roue tourne si vite qu'à peine s'y peut-elle tenir debout quelques instants. Mais si elle en tombe souvent, elle y remonte d'un pied adroitement léger et retrouve bientôt son équilibre. Demain, avec des chevaux de labour, j'enverrai chercher votre chariot et nous dresserons un théâtre dans la grange. Il y a, non loin de la ferme, un assez gros bourg qui nous fournira de spectateurs assez. Si la représentation ne suffit pas, au fond de ma vieille bourse de cuir dorment quelques pistoles de meilleur aloi que les jetons de comédie et, par Apollon ! je ne laisserai pas mon vieux Blazius et ses amis dans l'embarras. »

Le Tyran vint, quand il fit grand jour, avec un garçon de ferme pour chercher le chariot. Il vit entre les brancards, sous les harnais, que les crocs ni les becs n'avaient entamés, l'anatomie de la pauvre bête. Le sac de jetons répandait sa fausse monnaie sur la route, et la neige montrait soigneusement moulées des empreintes, les unes grandes, les autres petites, qui aboutissaient à la charrette, puis s'en éloignaient.

« Il paraît, dit le Tyran, que le chariot de Thespis a reçu cette nuit des visites de plus d'un genre. »

La charrette fut remisée dans la cour de la ferme, sous

un hangar. Il n'en manquait rien, et même il s'y trouvait quelque chose de plus : un petit couteau, de ceux qu'on fabrique à Albaceite, tombé de la poche de Chiquita pendant son court sommeil, et qui portait sur sa lame aiguë cette menaçante devise en espagnol :

> Cuando esta vivora pica,
> No hay remedio en la botica.

Cette trouvaille mystérieuse intrigua beaucoup le Tyran et fit tomber en rêverie Isabelle, qui était un peu superstitieuse et tirait volontiers des présages, bons ou funestes, d'après ces petits incidents inaperçus des autres ou sans valeur à leurs yeux. La jeune femme hâblait le castillan comme toutes les personnes un peu instruites à cette époque, et le sens alarmant de l'inscription ne lui échappait point.

A la ferme, les comédiens, aidés par Bellombre et ses valets, avaient déjà travaillé. Dans le fond de la grange, des planches posées sur des tonneaux formaient le théâtre. Trois ou quatre bancs empruntés au cabaret remplissaient l'office de banquettes ; mais, pour le prix, on ne pouvait exiger qu'elles fussent rembourrées et couvertes de velours. Les araignées filandières s'étaient chargées de décorer le plafond, et les larges rosaces de leurs toiles se suspendaient d'une poutre à l'autre.

« Mes premiers pas sur la scène, dit en riant le Baron, ont pour spectateurs des veaux et bêtes à cornes ; il y aurait de quoi humilier mon amour-propre, si j'en avais. »

Pour un novice, Sigognac ne jouait point trop mal, et l'on sentait qu'il se formerait vite. Il avait la voix bonne, la mémoire sûre, et l'imagination assez lettrée pour ajouter à son rôle ces répliques qui naissent de l'occasion et donnent de la vivacité au jeu. La pantomime le gênait davantage, étant fort entremêlée de coups de bâton, lesquels révoltaient son courage, encore qu'ils ne vinssent que de bourrelets de toile peinte remplis d'étoupe ; ses camarades, sachant sa qualité, le ménageaient autant que possible, et cependant il se courrouçait malgré lui, faisant terribles grimaces, horrifiques froncements de sourcils et regards torves.

Puis, se rappelant tout à coup l'esprit de son rôle, il reprenait une physionomie lâche, effarée, et subitement couarde.

Bellombre, qui le regardait avec l'attention perspicace d'un vieux comédien expert et passé maître, lui cria de sa place : « Gardez de corriger en vous ces mouvements qui viennent de nature ; ils sont très bons et produiront une variété nouvelle de matamore. »

Sigognac suivit les conseils de Bellombre et régla son jeu d'après cette idée, si bien que les acteurs l'applaudirent et lui prophétisèrent un succès.

Déjà le populaire affluait et s'entassait dans la grange. Quelques lanternes suspendues aux poutrelles soutenant le toit jetaient une lumière rougeâtre sur toutes ces têtes brunes, blondes, grisonnantes, parmi lesquelles se détachaient quelques blanches coiffes de femme.

D'autres lanternes avaient été placées en guise de chandelles sur le bord du théâtre, car il fallait prendre garde de mettre le feu à la paille et au foin.

La pièce commença et fut attentivement écoutée. Derrière les acteurs, car le fond de la scène n'était pas éclairé, se projetaient de grandes ombres bizarres qui semblaient jouer la pièce en parodie, et contrefaire tous leurs mouvements avec des allures disloquées et fantasques ; mais ce détail grotesque ne fut pas remarqué par ces spectateurs naïfs, tout occupés de l'affabulation de la comédie et du jeu des personnages, lesquels ils tenaient pour véritables.

Le capitaine Fracasse fut applaudi à plusieurs reprises, car il remplissait fort bien son rôle, n'éprouvant pas devant ce public vulgaire l'émotion qu'il eût ressentie ayant affaire à des spectateurs plus difficiles et plus lettrés. D'ailleurs il était sûr que, parmi ces manants, nul ne le connaissait. Les autres comédiens, aux bons endroits, furent vigoureusement claqués par ces mains calleuses qui ne se ménageaient point, et avec beaucoup d'intelligence, selon Bellombre.

Cependant, le long des murailles, dans le manoir délabré de Sigognac, les vieux portraits d'ancêtres prenaient des airs plus rébarbatifs et renfrognés que de coutume. Les guerriers poussaient des soupirs qui soulevaient leurs plastrons de fer, et ils hochaient mélancoliquement la tête ; les douairières faisaient une moue dédaigneuse sur leurs fraises tuyautées, et se roidissaient dans leurs corps de baleine et leurs vertugadins. Une voix basse, lente, sans timbre, une voix d'ombre, s'échappait de leurs lèvres peintes et murmurait : « Hélas ! le dernier des Sigognac a dérogé ! »

A la cuisine, assis tristement entre Béelzébuth et Miraut, qui attachaient sur lui de longs regards interrogateurs, Pierre songeait. Il se disait : « Où est maintenant mon pauvre maître ?... » et une larme, essuyée par la langue du vieux chien, coulait sur la joue brune du vieux serviteur.

VIII

LES CHOSES SE COMPLIQUENT

Bellombre, le lendemain de la représentation, tira Blazius à part et, desserrant les cordons d'une longue bourse de cuir, en fit couler dans sa main comme d'une corne d'abondance cent belles pistoles qu'il rangea en pile à la grande admiration du Pédant, qui restait contemplatif devant ce trésor étalé, roulant des yeux pleins de lubricité métallique.

Avec un geste superbe, Bellombre enleva les pistoles d'un seul coup et les plaqua dans la paume de son vieil ami. « Tu penses bien, dit-il, que je ne déploie pas cette monnaie pour irriter et titiller tes convoitises à la mode de Tantale. Prends cet argent sans scrupule. Je te le donne ou te le prête si tes fiertés se hérissent à l'idée de recevoir un régal d'un ancien camarade. L'argent est le nerf de la guerre, de l'amour et du théâtre. D'ailleurs ces pièces, étant faites pour rouler, vu qu'elles sont rondes, s'ennuient de rester couchées à plat dans l'ombre de cette escarcelle, où, à la longue, elles se couvriraient de barbe, rouille et fongosités. Ici je ne dépense rien, vivant à la rustique et tétant à la mamelle de la terre, nourrice des humains. Donc cette somme ne me fera pas faute. »

Pour ne pas faire les choses à demi, le généreux Bellombre prêta aux comédiens deux robustes chevaux de labour harnachés fort proprement, avec colliers peinturlurés et clarinés de grelots qui tintinnabulaient le plus agréablement du monde au pas ferme et régulier de ces braves bêtes.

Nos comédiens réconfortés et gaillards firent donc à Poitiers une entrée non pas si magnifique que celle d'Alexandre en Babylone, mais assez majestueuse encore. Le garçon qui devait ramener les chevaux se tenait à leur tête et modérait leur allure, car ils hâtaient le pas, subodorant de loin le chaud parfum de l'écurie. A travers les rues tortueuses de la ville, sur le pavé raboteux les roues grondaient, les fers sonnaient avec un bruit gai qui attirait le monde aux fenêtres et devant la porte de l'auberge ; pour se faire ouvrir, le conducteur exécuta une joyeuse mousquetade de coups de fouet, à laquelle les bêtes répondirent par de brusques frissons qui mirent en branle le carillon de leurs sonnettes.

L'hôtel des *Armes de France* était la plus belle auberge de Poitiers et celle où s'arrêtaient volontiers les voyageurs bien nés et riches. La cour où pénétra le chariot avait fort bon air. Des bâtiments très propres l'entouraient, ornés sur les quatre façades d'un balcon couvert ou corridor en applique et soutenu par des potences de fer, disposition commode permettant d'accéder aux chambres dont les fenêtres prenaient jour à l'extérieur et facilitant le service des laquais. Au fond de la cour une arcade s'ouvrait, donnant passage sur les communs, cuisines, écuries et hangars.

« Quelle bonne chance vous amène, seigneur Hérode ? dit l'hôtelier ; il y a longtemps qu'on ne vous a vu aux *Armes de France*.

— C'est vrai, répondit le Tyran, mais il ne faut pas toujours faire ses singeries sur la même place. Les spectateurs finissent par connaître tous vos tours et les exécuteraient eux-mêmes. Un peu d'absence est nécessaire. L'oublié vaut le neuf. Y a-t-il en ce moment beaucoup de noblesse à Poitiers ?

— Beaucoup, seigneur Hérode, les chasses sont finies et l'on ne sait que faire. On ne peut pas toujours manger et boire. Vous aurez du monde. »

Pendant que le Tyran et l'aubergiste dialoguaient de la sorte, les comédiens étaient descendus de voiture. Des valets s'emparèrent de leurs bagages et les portèrent aux chambres désignées. Celle d'Isabelle se trouva un peu écartée des autres, les plus proches se trouvant occupées. Cet éloignement ne déplut point à cette pudique jeune personne qu'embarrassait parfois cette promiscuité bohémienne à quoi force la vie errante des comédiens.

Un rayon de soleil brillait. Isabelle ne put résister à la tentation d'ouvrir la fenêtre et de mettre un peu son joli nez dehors pour examiner la vue qu'on découvrait de sa chambre, fantaisie d'autant plus innocente que la croisée donnait sur une rue déserte, formée d'un côté par l'auberge et de l'autre par un long mur de jardin que dépassaient les cimes dépouillées des arbres. Le regard plongeait dans le jardin et pouvait y suivre le dessin d'un parterre marqué par des ramages de buis ; au fond s'élevait un hôtel dont les murailles noircies attestaient l'ancienneté.

Deux cavaliers s'y promenaient le long d'une charmille, jeunes tous deux et de bonne mine, mais non égaux de condition, à voir la déférence dont l'un faisait montre à l'endroit de l'autre, se tenant un peu en arrière et cédant le haut de l'allée toutes les fois qu'il fallait revenir sur ses pas. En ce couple amical le premier était Oreste et le second

Pylade. Oreste, donnons-lui ce nom puisque nous ne connaissons pas encore le véritable, pouvait avoir de vingt à vingt-deux ans. Il avait le teint pâle, les yeux et les cheveux fort noirs. Son pourpoint de velours tanné faisait valoir sa taille souple et svelte ; un manteau court de même couleur et de même étoffe que le pourpoint, bordé d'un triple galon d'or, lui pendait de l'épaule, retenu par une ganse dont les glands retombaient sur la poitrine.

Il poussa le coude à son compagnon et lui dit :

« Avise là-bas, à cette croisée, fraîche comme l'Aurore à son balcon d'Orient, cette adorable et délicieuse créature qui semble déité plutôt que femme, avec ses cheveux châtain cendré, son clair visage et ses doux yeux. Qu'elle a bonne grâce, ainsi accoudée et un peu penchée en avant, ce qui fait voir à l'avantage, sous la gaze de la chemisette, les rondeurs de sa gorge ivoirine ! Je gage qu'elle a le meilleur caractère et ne ressemble point aux autres femelles. Son esprit doit être modeste, aimable et poli, son entretien agréable et charmant !

– Là, là, ne vous échauffez pas ainsi dans votre harnois, dit Pylade, vous pourriez en gagner une pleurésie. Mais qu'est devenue cette belle haine du sexe que vous affichiez tout à l'heure avec tant de jactance ? Il a suffi du premier minois pour la mettre en déroute.

– Quand je parlais et invectivais de la sorte, je ne savais point que cet ange de beauté existât, et tout ce que j'ai dit n'est que blasphème damnable, hérésie pure et monstruosité, que je supplie Vénus, déesse des amours, de me vouloir bien pardonner.

– Elle vous pardonnera, n'en doutez pas, car elle est indulgente aux amoureux fols dont vous êtes digne de porter la bannière.

« — Je vais ouvrir la campagne, fit Oreste, et déclarer courtoisement la guerre à ma belle ennemie. »

Cela disant, il s'arrêta, planta son regard droit sur Isabelle, ôta d'une façon aussi galante que respectueuse son feutre, dont la longue plume balaya la terre, et envoya du bout des doigts un baiser dans la direction de la fenêtre.

La jeune comédienne, qui vit l'action, prit un air froid et composé comme pour faire comprendre à cet insolent qu'il se trompait, referma la fenêtre et rabattit le rideau.

Les deux amis remontèrent lentement les marches du vieil hôtel et disparurent. Revenons maintenant à nos acteurs.

Il y avait non loin de l'auberge un jeu de paume merveilleusement propre à établir une salle de spectacle. Les comédiens le louèrent, et un maître menuisier de la ville, sous la direction du Tyran, l'eut bientôt accommodé à sa nouvelle destination. Un peintre-vitrier, qui se mêlait de barbouiller des enseignes et de blasonner des armoiries sur les carrosses, rafraîchit les décorations fatiguées et déteintes, et même en peignit une nouvelle avec assez de bonheur. La chambre où se déshabillaient et se réhabillaient les joueurs de paume fut disposée en foyer pour les comédiens avec des paravents qui entouraient les toilettes des actrices et formaient des espèces de loges. Toutes les places marquées étaient retenues d'avance, et la recette promettait d'être bonne.

Blazius et le Tyran descendirent dans la cour et rencontrèrent Zerbine au bas du perron. La joyeuse fille sauta au col du Pédant et lui prenant la tête :

« Il faut, s'écria-t-elle en joignant l'action à la parole, que je t'accole et baise ton vieux masque à pleine bouche avec le même cœur que si tu étais un joli garçon, pour la joie que j'ai de te revoir. Ne sois pas jaloux, Hérode, et ne fronce pas tes gros sourcils noirs comme si tu allais ordonner le massacre des Innocents. Je vais t'embrasser aussi. J'ai commencé par Blazius parce que c'est le plus laid. »

Zerbine accomplit loyalement sa promesse, car c'était une fille de parole et qui avait de la probité à sa manière.

« Vous ne sauriez imaginer, dit-elle aux deux comédiens, après un moment de silence, le plaisir que j'éprouve à me retrouver avec vous ; n'allez pas croire pour cela que je sois amoureuse de vos vieux museaux usés par la céruse et le rouge. Je n'aime personne, Dieu merci ! Ma joie tient à ce que je rentre dans mon élément, et l'on est toujours mal hors de son élément. Donc, je viens reprendre mon emploi. J'espère que vous n'avez engagé personne pour me remplacer. On ne me remplace pas d'ailleurs.

— Tu as donc abandonné ce pauvre marquis, dit Blazius d'un air de componction ; car tu n'es pas de celles qu'on délaisse.

— Mon intention, répondit Zerbine, est bien de le garder comme une bague à mon doigt et le plus précieux joyau de mon écrin. Je ne l'abandonne nullement, et si je l'ai quitté, c'est afin qu'il me suivît. Mon séjour dans le pavillon du marquis m'éclaira. Je compris que ce brave gentilhomme n'était pas épris seulement de mes yeux, de mes dents, de ma peau, mais bien de cette petite étincelle qui brille en moi et me fait applaudir. Un beau matin je lui signifiai tout net que je voulais reprendre ma volée et que cela ne me convenait point d'être à perpétuité la maîtresse d'un seigneur : que la première venue pouvait bien le faire et qu'il m'octroyât gracieusement mon congé, lui affirmant d'ailleurs que je l'aimais bien et que j'étais parfaitement reconnaissante de ses bontés. Le marquis parut d'abord surpris mais non fâché, et après avoir réfléchi quelque peu, il dit : " Qu'allez-vous faire, mignonne ? " Je lui répondis : " Rattraper en route la troupe d'Hérode ou la rejoindre à Paris si elle y est déjà. Je veux reprendre mon emploi de soubrette, il y a longtemps que je n'ai dupé de Géronte. " Cela fit rire le marquis. " Eh bien ! dit-il, partez en avant avec l'équipage de mules que je mets à votre disposition. Je vous suivrai sous peu. J'ai quelques affaires négligées qui exigent ma présence à la cour, et il y a longtemps que je me rouille en province. Vous me permettrez bien de vous applaudir, et si je gratte à la porte de votre loge, vous m'ouvrirez, je pense. " Je pris un petit air pudibond mais qui n'avait rien de désespérant. " Ah ! monsieur le marquis, que me demandez-vous là ! " Bref, après les adieux les plus tendres, j'ai sauté sur ma mule et me voici aux *Armes de France*. »

On dit à Zerbine que Matamore avait été gelé en route, mais qu'il était remplacé par le baron de Sigognac, lequel prenait pour nom de théâtre le titre, bien accommodé à l'emploi, de capitaine Fracasse.

« Ce me sera un grand honneur de jouer avec un gentilhomme dont les aïeux allèrent aux croisades, dit Zerbine, et je tâcherai que le respect n'étouffe point en moi la verve. Heureusement que je suis maintenant habituée aux personnes de qualité. »

Sur ce, Sigognac entre dans la chambre.

Zerbine, pliant le jarret de manière à faire bouffer amplement ses jupes, lui adressa une belle révérence de cour bien proportionnée et cérémonieuse.

« Ceci, dit-elle, est pour monsieur le baron de Sigognac, et voici pour le capitaine Fracasse mon camarade », ajouta-t-elle en le baisant fort vivement sur les deux joues, ce qui faillit décontenancer Sigognac, peu accoutumé encore à ces libertés de théâtre et que troublait d'ailleurs la présence d'Isabelle.

Le retour de Zerbine permettait de varier agréablement le répertoire, et toute la troupe, à l'exception de Sérafine, était on ne peut plus satisfaite de la revoir.

Maintenant que la voilà bien installée dans sa chambre, au milieu de ses joyeux camarades, informons-nous d'Oreste et de Pylade que nous avons laissés rentrant chez eux après leur promenade au jardin.

Oreste, c'est-à-dire le jeune duc de Vallombreuse, car tel était son titre, ne mangea que du bout des dents et plus d'une fois oublia sur la table le verre que le laquais venait de remplir, tant il avait l'imagination préoccupée de la belle femme aperçue à la fenêtre. Le chevalier de Vidalinc son confident essayait vainement de le distraire ; Vallombreuse ne répondait que par monosyllabes aux plaisanteries amicales de son Pylade.

Dès que le dessert fut enlevé, le chevalier dit au duc :

« Les plus courtes folies sont les meilleures ; pour que vous ne pensiez plus à cette beauté, il ne s'agit que de vous en assurer la possession. Vous avez le naturel de ces chasseurs qui du gibier n'aiment que la poursuite et, la pièce tuée, ne la ramassent même point. Je vais aller faire une battue pour vous rabattre l'oiseau vers vos filets.

— Non pas, reprit Vallombreuse, j'irai moi-même ; comme tu l'as dit, la poursuite seule m'amuse et je suivrais jusqu'au bout du monde la plus chétive bête de poil ou de plume, de remise en remise jusqu'à tomber mort de fatigue. Ne m'ôte pas ce plaisir. Oh ! si j'avais le bonheur de trouver une cruelle, je crois que je l'adorerais, mais il n'en existe pas sur le globe terraqué. »

Quelques minutes après, les deux jeunes gens entraient aux *Armes de France* et demandaient maître Bilot.

« As-tu beaucoup de monde dans ton auberge ? dit Vallombreuse, et de quelle sorte ?... » Bilot allait répondre, mais le jeune duc prévint la phrase de l'hôtelier et continua : « A quoi bon finasser avec un vieux mécréant tel que toi ? Quelle est la femme qui habite cette chambre dont la fenêtre donne sur la ruelle en face l'hôtel Vallombreuse, la troisième croisée en partant de l'angle du mur ? Réponds vite, tu auras une pièce d'or par syllabe.

— Je vais me conformer aux ordres de Sa Seigneurie, répondit maître Bilot en s'inclinant. Mon cellier, ma cuisine, ma langue sont à sa disposition. Isabelle est une comédienne qui appartient à la troupe du seigneur Hérode présentement logé à l'hôtel des *Armes de France*.

— Une comédienne, dit le jeune duc avec un air de désappointement, je l'aurais plutôt prise à sa mine discrète et réservée pour une dame de qualité ou bourgeoise cossue que pour une baladine errante.

— On peut s'y tromper, continua Bilot, la demoiselle a des façons fort décentes. Elle joue le rôle d'ingénue au théâtre et le continue à la ville. Nulle ne sait mieux éconduire un galant par une politesse exacte et glacée qui ne laisse pas d'espoir.

— Ceci me plaît, fit Vallombreuse, je ne hais rien tant que ces facilités trop ouvertes et ces places demandant à capituler devant même qu'on ait donné l'assaut.

— Il en faudra plus d'un pour emporter cette citadelle, dit Bilot, quoique vous soyez un hardi et brillant capitaine peu habitué à rencontrer de résistance, d'autant qu'elle est gardée par la sentinelle vigilante d'un pudique amour.

— Elle a donc un amant, cette sage Isabelle ! s'écria le

jeune duc d'un ton à la fois triomphant et dépité, car d'une part il ne croyait guère à la vertu des femmes, et de l'autre cela le contrariait d'apprendre qu'il avait un rival.

— J'ai dit amour et non pas amant, continua l'aubergiste avec une respectueuse insistance, ce n'est pas la même chose. Votre Seigneurie est trop experte en matière de galanterie pour ne point apprécier cette différence bien qu'elle ait l'air subtil. Une femme qui a un amant peut en avoir deux, comme dit la chanson, mais une femme qui a un amour est impossible ou du moins fort malaisée à vaincre. Elle possède ce que vous lui offrez.

— Eh bien, dit le chevalier de Vidalinc à son ami, vous devez être content. Voilà des obstacles imprévus qui se présentent. Une comédienne vertueuse, cela ne se rencontre pas tous les jours, et c'est affaire à vous. Cela vous reposera des grandes dames et des courtisanes.

— Que voilà un étrange et fantasque échantillon de sexe féminin ! dit le duc de Vallombreuse un peu étonné ; sans doute, elle veut par ces semblants de sagesse se faire épouser de ce maraud, lequel doit être abondamment pourvu de biens. Cherchons pour aborder la belle quelque stratagème qui ne l'effarouche pas trop.

— Cela est plus facile que de s'en faire aimer, dit maître Bilot ; il y a ce soir au jeu de paume répétition de la pièce qu'on doit jouer demain ; quelques amateurs de la ville seront admis, et vous n'avez qu'à vous nommer pour que la porte s'ouvre à deux battants devant vous. D'ailleurs j'en toucherai deux mots au seigneur Hérode, qui est fort de mes amis et n'a rien à me refuser ; mais, selon ma petite science, vous auriez mieux fait d'adresser vos vœux à mademoiselle Sérafine, qui n'est pas moins jolie qu'Isabelle et dont la vanité se fût pâmée de plaisir à cette recherche.

– C'est d'Isabelle que je suis affolé, fit le duc d'un petit ton sec qu'il savait prendre admirablement et qui tranchait tout, d'Isabelle et non d'une autre, maître Bilot, et, plongeant la main dans sa poche, il répandit négligemment sur la table une assez longue traînée de pièces d'or : Payez-vous de votre bouteille et gardez le reste de la monnaie. »

L'hôtelier ramassa les louis avec componction et les fit glisser l'un après l'autre au fond de son escarcelle. Les deux gentilshommes se levèrent, enfoncèrent leur feutre jusqu'au sourcil, jetèrent leur manteau sur le coin de leur épaule et quittèrent la salle. Vallombreuse fit plusieurs tours dans la ruelle, levant le nez chaque fois qu'il passait devant la bienheureuse fenêtre, mais ce fut peine perdue.

Il est vrai, Vallombreuse n'avait pas aperçu Isabelle retirée au fond de son appartement, mais pendant sa faction dans la ruelle un œil jaloux l'épiait à travers la vitre d'une autre fenêtre, celui de Sigognac, à qui les allures et menées du personnage déplaisaient fort. Dix fois le Baron fut tenté de descendre et d'attaquer le galant l'épée haute, mais il se contint. Il n'y avait rien d'assez formel dans l'action de se promener le long d'une muraille pour justifier une semblable agression, qu'on eût taxée de folle et ridicule. L'éclat en eût pu nuire à la renommée d'Isabelle, tout innocente de ces regards levés en haut toujours au même endroit. Il se promit toutefois de surveiller de près le galantin et en grava les traits dans sa mémoire pour le reconnaître quand besoin serait.

Sigognac devait débuter devant un véritable public, n'ayant encore joué que pour les veaux, les bêtes à cornes et les paysans, dans la grange de Bellombre.

Le type qu'il représentait par son caractère extravagamment outré s'éloignait du naturel, et cependant il fallait que sous l'exagération on sentît la vérité et qu'on démêlât l'homme à travers le fantoche. Blazius était d'avis que Sigognac prît le demi-masque, c'est-à-dire cachant le front et le nez, pour garder la tradition de la figure et mêler sur son visage le fantasque au réel, grand avantage en ces sortes de rôles moitié faux, moitié vrais, caricatures générales de l'humanité dont elle ne se fâche point comme d'un portrait. Entre les mains d'un comédien vulgaire un tel rôle peut n'être qu'une plate bouffonnade propre à divertir la canaille et à faire hausser les épaules aux honnêtes gens, mais un acteur de mérite peut y introduire des traits de naturel et représentant mieux la vie que s'ils étaient concertés.

L'idée du demi-masque souriait assez à Sigognac. Le masque lui assurait l'incognito et lui donnait le courage d'affronter la foule. Ce mince carton lui faisait l'effet d'un heaume à visière baissée à travers laquelle il parlerait d'une voix de fantôme. Car le visage est la personne même, le corps n'a pas de nom, et la face cachée ne se peut connaître : cet arrangement conciliait le respect de ses aïeux et les nécessités de sa position. Il ne s'exposait plus devant les chandelles d'une façon matérielle et directe.

On se rendit à la répétition, qui devait être en costume pour qu'on pût bien se rendre compte de l'effet général. Chaque comédienne avait son cercle de courtisans dont les yeux goulus cherchaient fortune dans les trahisons et les hasards de la toilette. Vallombreuse s'était placé silencieusement près de la toilette d'Isabelle, son bras appuyé sur le cadre du miroir de manière à ce que les yeux de la comédienne, obligée de consulter la glace à chaque minute, dussent souvent le rencontrer. C'était une manœuvre savante et de bonne tactique amoureuse qui eût réussi, sans doute, avec toute autre que notre ingénue. Il voulait, avant de parler, frapper un coup par sa beauté, sa mine altière et sa magnificence.

Isabelle, qui avait reconnu le jeune audacieux de la ruelle et que ce regard d'une ardeur impérieuse gênait, gardait la plus extrême réserve et ne détournait pas sa vue du miroir. Elle ne semblait pas s'être aperçue qu'il y avait devant elle planté un des plus beaux seigneurs de la France, mais c'était une singulière fille qu'Isabelle.

Vallombreuse, plongeant un doigt dans la boîte à mouches posée sur la toilette, en retira une petite étoile de taffetas noir.

« Souffrez, continua-t-il, que je vous la pose ; ici, tout près du sein ; elle en relèvera la blancheur et paraîtra comme un grain de beauté naturel. »

L'action accompagna le discours si vite qu'Isabelle, effarouchée de cette outrecuidance, eut à peine le temps de se renverser le dos sur sa chaise pour éviter l'insolent contact ; mais le duc n'était pas de ceux qui s'intimidaient aisément, et son doigt moucheté allait effleurer la gorge de la jeune comédienne lorsqu'une main de fer s'abattit sur son bras et le maintint comme dans un étau.

Le duc de Vallombreuse, transporté de rage, retourna la tête et vit le capitaine Fracasse campé dans une pose qui ne sentait point son poltron de comédie.

« Monsieur le duc, dit Fracasse en tenant toujours le poignet de Vallombreuse, mademoiselle pose ses mouches elle-même. Elle n'a besoin des services de personne. »

Cela dit, il lâcha le bras du jeune seigneur, dont le premier mouvement fut de chercher la garde de son épée. En ce moment Vallombreuse, malgré sa beauté, avait une tête plus horrible et formidable que celle de Méduse. Une pâleur affreuse couvrait son visage, ses noirs sourcils s'abaissaient sur ses yeux injectés de sang. La pourpre de ses lèvres prenait une couleur violette et blanchissait d'écume ; ses narines palpitaient comme aspirant le carnage. Il s'élança vers Sigognac, qui ne rompit pas d'une semelle, attendant l'assaut ; mais, tout à coup, il s'arrêta. Une réflexion soudaine éteignit, comme une douche d'eau glacée, sa bouillante frénésie. Ses traits se remirent en place ; les couleurs naturelles lui revinrent, il avait complètement repris possession de lui-même, et son visage exprimait le dédain le plus glacial, le mépris le plus suprême qu'une créature humaine puisse témoigner à une autre. Il venait de penser que son adversaire n'était pas né et qu'il avait failli se commettre avec un histrion. Tout son orgueil nobiliaire se révoltait à cette idée. L'insulte partie de si bas ne pouvait l'atteindre ; se bat-on avec la boue qui vous éclabousse ? Cependant il n'était pas dans sa nature de laisser une offense impunie d'où qu'elle vînt, et, se rapprochant de Sigognac, il lui dit : « Drôle, je te ferai rompre les os par mes laquais !

— Prenez garde, monseigneur, répondit Sigognac du ton le plus tranquille et de l'air le plus détaché du monde, prenez garde, j'ai les os durs et les bâtons s'y briseront comme verre. Je ne reçois de volée que dans les comédies.

— Quelque insolent que tu sois, maraud, je ne te ferai pas l'honneur de te battre moi-même. C'est une ambition qui passe tes mérites, dit Vallombreuse.

— C'est ce que nous verrons, monsieur le duc, répliqua Sigognac. Peut-être bien, ayant moins de fierté, vous battrai-je de mes propres mains.

— Je ne réponds pas à un masque, fit le duc en prenant le bras de Vidalinc, qui s'était rapproché.

— Je vous montrerai mon visage, duc, en lieu et en temps opportun, reprit Sigognac, et je crois qu'il vous sera plus désagréable encore que mon faux nez. Mais brisons là. Aussi bien j'entends la sonnette qui tinte, et je courrais risque en tardant davantage de manquer mon entrée. »

Outré de fureur après cette scène où il n'avait pas eu l'avantage, le jeune duc était rentré à l'hôtel Vallombreuse avec son confident, méditant mille projets de vengeance ; les plus doux ne tendaient à rien moins qu'à faire bâtonner l'insolent capitaine jusques à le laisser pour mort sur la place.

« Oh ! s'écriait-il, je voudrais pouvoir casser ce drôle comme ce vase, et le piétiner, et en balayer les restes aux ordures ! Un misérable qui ose s'interposer entre moi et l'objet de mon désir ! S'il était seulement gentilhomme, je le combattrais à l'épée, à la dague, au pistolet, à pied, à cheval, jusqu'à ce que j'aie posé le pied sur sa poitrine et craché à la face de son cadavre !

— Peut-être l'est-il, fit Vidalinc, je le croirais assez à son assurance ; maître Bilot a parlé d'un comédien qui s'était engagé par amour et qu'Isabelle regardait d'un œil favorable. Ce doit être celui-là, si j'en juge à sa jalousie et au trouble de l'infante.

— Y penses-tu, reprit Vallombreuse, une personne de condition se mêler à ces baladins, monter sur les tréteaux, se barbouiller de rouge, recevoir des nasardes et des coups de pied au derrière ! Non, cela est par trop impossible. »

Un domestique entra, s'inclina profondément, et dans une immobilité parfaite attendit les ordres du maître.

« Fais lever, s'ils sont couchés, Basque, Azolan, Mérindol et Labriche, dis-leur de s'armer de bons gourdins et d'aller attendre à la sortie du jeu de paume, où sont les comédiens d'Hérode, un certain capitaine Fracasse. Qu'ils l'assaillent et le laissent sur le carreau, sans le tuer pourtant ; on pourrait croire que j'en ai peur ! Je me charge des suites. En le bâtonnant qu'on lui crie : De la part du duc de Vallombreuse ; afin qu'il n'en ignore. »

« Cela me contrarie, dit Vidalinc, lorsque le valet se fut retiré, que vous fassiez traiter de la sorte ce baladin, qui, après tout, a montré un cœur au-dessus de son état. Voulez-vous que sous un prétexte ou l'autre j'aille lui chercher querelle et que je le tue ?

– Je te remercie, répondit le duc, de cette offre qui me prouve la fidélité parfaite avec laquelle tu entres dans mes intérêts, mais je ne saurais pourtant l'accepter. Ce faquin a osé me toucher. Il convient qu'il expie ignominieusement ce crime. S'il est gentilhomme, il trouvera à qui parler. Je réponds toujours quand on m'interroge avec une épée. »

Le duc et son ami, retombant dans le silence, attendirent le retour des estafiers.

IX

COUPS D'ÉPÉE, COUPS DE BÂTON
ET AUTRES AVENTURES

La répétition était finie. Retirés dans leurs loges, les comédiens se déshabillaient et prenaient leurs habits de ville. Sigognac en fit autant, mais il garda, s'attendant à quelque assaut, son épée de Matamore.

Hérode, robuste compagnon aux larges épaules, avait emporté le bâton qui lui servait à frapper les levers de rideau, et avec cette espèce de massue, qu'il manœuvrait comme si c'eût été un fétu de paille, il se promettait de faire rage contre les marauds qui attaqueraient Sigognac, cela n'étant pas dans son caractère de laisser ses amis en péril.

« Capitaine, dit-il au Baron, lorsqu'ils se trouvèrent dans la rue, Scapin restera avec nous, il passe le croc-en-jambe mieux que pas un, et en moins d'une minute il vous aura étendu sur le dos, plats comme porcs, un ou deux de ces maroufles, si tant est qu'ils nous assaillent ; en tout cas, mon bâton est au service de votre rapière. »

Sigognac prit la tête de la petite colonne, et s'avança prudemment dans la ruelle qui menait du jeu de paume à l'auberge des *Armes de France*. Elle était noire, tortueuse, inégale en pavés, merveilleusement propre aux embuscades. Des auvents s'y projetaient redoublant l'épaisseur de l'ombre, et prêtant leur abri aux guets-apens. Aucune lumière ne filtrait des maisons endormies, et il n'y avait pas de lune cette nuit-là.

Basque, Azolan, Labriche et Mérindol, les estafiers du jeune duc, attendaient déjà depuis plus d'une demi-heure le passage du capitaine Fracasse, qui ne pouvait rentrer à son auberge par un autre chemin. Azolan et Basque s'étaient tapis dans l'embrasure d'une porte, d'un côté de la rue ; Mérindol et Labriche, effacés contre la muraille, avaient pris position juste en face, de manière à faire converger leurs bâtons sur Sigognac, comme les marteaux des cyclopes sur l'enclume.

Sigognac, dont la vue était perçante, bien que la nuit fût fort noire, avait depuis quelques instants déjà découvert les quatre escogriffes à l'affût. Il s'arrêta, et fit mine de vouloir rebrousser chemin. Cette feinte détermina les coupe-jarrets, qui voyaient leur proie s'échapper, à quitter leur embuscade pour courir sus au capitaine. Azolan s'élança le premier, et tous crièrent : « Tue ! tue ! Au capitaine Fracasse de la part de monseigneur le duc ! » Sigognac avait enveloppé à plusieurs tours son bras gauche de son manteau, qui formait, ainsi roulé, une sorte de manchon impénétrable ; de ce manchon, il para le coup de gourdin que lui assenait Azolan, et lui porta de sa rapière une botte si violente en pleine poitrine que le misérable tomba au beau milieu du ruisseau le bréchet effondré, les semelles en l'air et le chapeau dans la boue. Basque, malgré le mauvais succès de son compagnon, s'avança bravement, mais un furieux coup de plat d'épée sur la tête lui fracassa le moule du bonnet et lui montra trente-six chandelles en cette nuit plus opaque que poix.

La massue d'Hérode fit voler en éclats le bâton de Mérindol, qui, se voyant désarmé, prit la fuite, non sans avoir le dos froissé et meurtri par le formidable bois, si prompt qu'il fût à tirer ses guêtres. L'exploit de Scapin fut tel : il saisit Labriche à bras-le-corps d'un mouvement si prompt et si vif que celui-ci, à demi étouffé, ne put faire aucun usage de son gourdin, puis, l'appuyant sur son bras gauche et le poussant de son bras droit de manière à lui faire craquer les vertèbres, il l'enleva de terre par un croc-en-jambe sec, nerveux, irrésistible comme la détente d'un ressort d'arbalète, et l'envoya rouler sur le pavé dix pas plus loin.

Désormais la rue était libre, et la victoire demeurait aux comédiens.

Mérindol, moins fièrement navré, avait pris la poudre d'escampette sans doute pour que quelqu'un survécût au désastre, et le pût raconter. Cependant, en approchant de l'hôtel Vallombreuse, il ralentit le pas, car il allait se trouver en face de la colère du jeune duc, non moins redoutable que le gourdin d'Hérode. A cette idée la sueur lui coulait du front, et il ne sentait plus la douleur de son épaule luxée, après laquelle pendait un bras inerte et flasque comme une manche vide.

« Vous n'êtes que des veaux, des gavaches et des ruffians sans adresse, sans dévouement et sans courage ! s'écria le duc de Vallombreuse outré de fureur. Une vieille femme vous mettrait en fuite avec sa quenouille. J'ai eu bien tort de vous sauver de la potence et des galères ! autant vaudrait avoir d'honnêtes gens à son service : ils ne seraient ni plus gauches ni plus lâches ! Puisque les bâtons ne suffisaient pas, il fallait prendre les épées !

– Monseigneur, reprit Mérindol, avait commandé une bastonnade et non un assassinat. Nous n'aurions osé prendre sur nous d'outrepasser ses ordres.

« – Rentrez dans vos chenils, canailles ! s'écria le duc, qui n'était pas tendre, à la vue de cette troupe éclopée. Je ne sais à quoi tient que je ne vous fasse donner les étrivières pour votre imbécillité et couardise ; mon chirurgien va vous visiter, et me dira si les horions dont vous vous prétendez navrés sont de conséquence, sinon je vous ferai écorcher vifs comme anguilles de Melun. Allez ! »

Quand les pauvres diables se furent retirés, Vallombreuse se jeta sur une pile de carreaux, et garda un silence que Vidalinc respecta. Des pensées tempétueuses se succédaient dans sa cervelle comme les nuages noirs poussés par un vent furieux sur un ciel d'orage. Il voulait mettre le feu à l'auberge, enlever Isabelle, tuer le capitaine Fracasse, jeter à l'eau toute la troupe de comédiens. Pour la première fois de sa vie il rencontrait une résistance ! Il avait ordonné une chose qui ne s'était pas faite ! Un baladin le bravait ! Des gens à lui s'étaient enfuis rossés par un capitan de théâtre ! Son orgueil se révoltait à cette idée, et il en éprouvait comme une sorte de stupeur. Cela était donc possible que quelqu'un lui tînt tête ?

Quand Sigognac, Hérode et Scapin rentrèrent à l'auberge, ils trouvèrent les autres comédiens fort alarmés. Les cris : Tue ! tue ! et le bruit de la rixe étaient parvenus, à travers le silence de la nuit, aux oreilles d'Isabelle et de ses camarades. La jeune fille avait manqué défaillir, et sans Blazius qui lui soutenait le coude, elle se fût affaissée sur les genoux. Pâle comme une cire et toute tremblante, elle attendait sur le seuil de sa porte pour savoir des nouvelles. A la vue de Sigognac sans blessure, elle poussa un faible cri, leva les bras au ciel et les laissa retomber autour du col du jeune homme, se cachant la figure contre son épaule avec un adorable mouvement de pudeur ; mais, dominant promptement son émotion, elle se dégagea bientôt de cette étreinte, recula de quelques pas et reprit sa réserve habituelle.

« Vous n'êtes pas blessé, au moins ? dit-elle avec sa voix la plus douce. Que de chagrin j'aurais si, à cause de moi, il vous était arrivé le moindre mal !

– Je ne laisserai jamais, répondit Sigognac, personne insulter en ma présence à l'adorable Isabelle, encore que j'aie sur la figure le masque d'un capitan. »

Les comédiens, comme il se faisait tard, se retirèrent, à l'exception de Sigognac, qui fit encore quelques tours en la galerie, comme méditant un projet : le comédien était vengé, mais le gentilhomme ne l'était pas. Allait-il jeter le masque qui assurait son incognito, dire son vrai nom, faire un éclat, attirer peut-être sur ses camarades la colère du jeune duc ? La prudence vulgaire disait non, mais l'honneur disait oui. Le Baron ne pouvait résister à cette voix impérieuse, et il se dirigea vers la chambre de Zerbine.

« C'est bien charmant à vous, fit le marquis de Bruyères, de venir nous surprendre dans notre nid d'amoureux. J'espère que sans crainte de troubler le tête-à-tête vous allez souper avec nous. Jacques, mettez un couvert pour monsieur. »

Le Baron prit place sur le fauteuil que lui avança Jacques en face du marquis et à côté de Zerbine, M. de Bruyères lui découpa une aile de perdrix et lui remplit son verre sans lui faire aucune question, en homme de qualité qu'il était, car il se doutait bien qu'une circonstance grave amenait le Baron, d'ordinaire fort réservé et sauvage.

« Marquis, je viens vous requérir d'un service qu'un gentilhomme ne refuse point à un autre. Mlle Zerbine a dû sans doute vous conter qu'au foyer des actrices M. le duc de Vallombreuse avait voulu porter la main à la gorge d'Isabelle, sous prétexte d'y poser une mouche, action indigne, lascive et brutale que ne justifiait aucune coquetterie ou avance de la part de cette jeune personne, aussi sage que modeste, pour qui je fais profession d'une estime parfaite.

— Elle la mérite, fit Zerbine, et quoique femme et sa camarade, je ne saurais en dire du mal quand même je le voudrais.

— J'ai arrêté, continua Sigognac, le bras du duc dont la colère a débordé en menaces et invectives auxquelles j'ai répondu avec un sang-froid moqueur, abrité par mon masque de Matamore. Il m'a menacé de me faire bâtonner par ses laquais; et en effet, tout à l'heure, comme je rentrais à l'hôtel des *Armes de France* en suivant une ruelle obscure, quatre coquins se sont précipités sur moi. Avec quelques coups de plat d'épée, j'ai fait justice de deux de ces drôles; Hérode et Scapin ont accommodé les deux autres de la bonne façon. Bien que le duc s'imaginât n'avoir affaire qu'à un pauvre comédien, comme il se trouve un gentilhomme dans la peau de ce comédien, un tel outrage ne saurait demeurer impuni. Vous me connaissez, marquis; quoique jusqu'à présent vous ayez respecté mon incognito, vous savez quels furent mes ancêtres, et vous pouvez certifier que le sang des Sigognac est noble depuis mille ans, pur de toute mésalliance, et que tous ceux qui ont porté ce nom n'ont jamais souffert une tache à leurs armoiries.

— Baron de Sigognac, dit le marquis de Bruyères en donnant pour la première fois à son hôte son véritable nom, j'attesterai sur mon honneur devant qui vous le souhaiterez l'antiquité et la noblesse de votre race. Palamède de Sigognac fit merveille à la première croisade, où il menait cent lances sur un dromon équipé à ses frais. C'était à une époque où bien des nobles qui font aujourd'hui les superbes n'étaient pas même écuyers. Il était fort ami de Hugues de Bruyères, mon aïeul, et tous deux couchaient sous la même tente comme frères d'armes.

– Donc, puisque telle est votre opinion sur ma famille, dit le Baron au marquis, vous défierez en mon nom M. le duc de Vallombreuse et lui porterez le cartel ?

– Je le ferai, répondit le marquis d'un ton grave et mesuré qui contrastait avec son enjouement ordinaire, et de plus je mets comme second mon épée à votre service. Demain je me présenterai à l'hôtel Vallombreuse. Le jeune duc, s'il a le défaut d'être insolent, n'a pas celui d'être lâche, et il ne se retranchera pas derrière sa dignité dès qu'il saura votre véritable condition. »

Dès qu'il put le faire, Sigognac prit congé et se retira en sa chambre dont il poussa le verrou. Puis il sortit d'un étui de serge qui l'entourait de peur de la rouille une épée ancienne, celle de son père, qu'il avait emportée avec lui comme une amie fidèle. Il la tira lentement du fourreau et en baisa respectueusement la poignée. C'était une belle arme, riche sans ornementation superflue, une arme de combat et non de parade. Animé par l'éclat poli de l'acier, sentant la garde bien à la main, Sigognac se mit à tirer au mur, et vit qu'il n'avait rien oublié des leçons que Pierre, ancien prévôt de salle, lui donnait pendant ses longs loisirs au château de la Misère.

Content de lui et de son épée, qu'il posa près de son chevet, Sigognac ne tarda pas à s'endormir dans une sécurité parfaite, comme s'il n'avait pas chargé le marquis de Bruyères de provoquer le puissant duc de Vallombreuse.

Isabelle ne put fermer l'œil : elle comprenait que Sigognac n'en resterait pas là, et elle redoutait pour son ami les suites de la querelle, mais il ne lui vint pas à l'idée de s'interposer entre les combattants. Les affaires d'honneur étaient en ce temps choses sacrées, que les femmes ne se fussent point avisées d'interrompre ou de gêner par leurs pleurnicheries.

Il ne faisait pas encore jour chez le duc, qui, agité et coléré par les événements de la veille, ne s'était assoupi que fort tard. Aussi, quand le marquis de Bruyères dit au valet de chambre de Vallombreuse de l'annoncer à son maître, les yeux du maraud s'écarquillèrent-ils à cette demande énorme. Réveiller le duc ! Entrer chez lui avant qu'il n'eût sonné !

« Monsieur ferait mieux d'attendre, dit le laquais tremblant à l'idée d'une telle audace, ou de revenir plus tard. Monseigneur n'a pas encore appelé, et je n'ose prendre sur moi...

– Annonce le marquis de Bruyères, cria le protecteur de Zerbine d'une voix où la colère commençait à vibrer, ou j'enfonce la porte et je m'introduis moi-même ; il faut que je parle à ton maître sur-le-champ pour des choses qui sont d'importance et intéressent l'honneur.

– Ah ! monsieur vient pour un duel ? dit le valet de chambre subitement radouci. Que ne le disiez-vous tout de suite. Je vais aller porter votre nom à monseigneur ; il s'est couché hier de si féroce humeur qu'il sera enchanté d'être réveillé par une querelle, et d'avoir un prétexte de se battre. »

« M. le marquis de Bruyères, fit Picard en ouvrant la porte à deux battants.

– Bonjour, marquis, dit le jeune duc de Vallombreuse en se soulevant à demi de son fauteuil, et soyez le bienvenu, quel que soit le sujet qui vous amène. Picard, avance un siège à monsieur. Excusez-moi si je vous reçois dans cette chambre en désordre et sous ce déshabillé matinal ; n'y voyez pas un manque de civilité, mais une marque d'empressement.

– Pardonnez, répliqua le marquis, l'insistance sauvage que j'ai mise à troubler votre sommeil, occupé peut-être de quelque rêve délicieux, mais je suis chargé près de vous d'une mission qui ne souffre pas de retard entre gentilshommes.

– Vous me piquez la curiosité au vif, répondit Vallombreuse ; je ne devine point quelle peut être cette affaire urgente.

– Sans doute, monsieur le duc, dit le marquis de Bruyères, vous avez oublié certaines circonstances de la soirée d'hier. De si minces détails ne sont point faits pour se graver en votre souvenir. Aussi vais-je aider votre mémoire, si vous le permettez. Au foyer des comédiennes, vous avez daigné honorer d'une attention particulière une jeune personne qui joue les ingénues : Isabelle, je crois. Et par une badinerie que, pour ma part, je ne trouve pas blâmable, vous lui voulûtes poser une assassine sur le sein. Ce procédé, que je ne qualifie pas, choqua fort un comédien, le capitaine Fracasse, qui eut la hardiesse de vous arrêter la main. Il n'y a pas grand mal à faire bâtonner un histrion ou un grimaud de lettres dont on n'est pas content ; ces espèces ne valent pas les cannes qu'on leur rompt sur le dos ; mais ici le cas est différent. Sous le capitaine Fracasse, qui, du reste, a rossé vos estafiers de la belle manière, il y a le baron de Sigognac, un gentilhomme de vieille roche et de la meilleure noblesse qui soit en Gascogne. Personne n'a rien à dire sur son compte. Aussi le capitaine Fracasse jette-t-il son masque et vient-il, comme baron de Sigognac, vous proposer le cartel par mon entremise et vous demander raison de l'insulte que vous lui avez faite. Je me porte son garant. D'ailleurs, si vous doutez encore de sa qualité, j'ai là toutes les pièces qu'il faut pour rassurer vos scrupules. Voulez-vous me permettre d'appeler mon laquais, qui attend dans l'antichambre et vous remettra les parchemins ?

– Il n'en est nul besoin, répondit Vallombreuse ; votre parole me suffit, j'accepte le duel ; M. le chevalier de Vidalinc, mon ami, sera mon second. Veuillez vous entendre avec lui. Toutes armes et toutes conditions me sont bonnes. Aussi bien ne serais-je pas fâché de voir si le baron de Sigognac sait aussi bien parer les coups d'épée que le capitaine Fracasse les coups de bâton. La charmante Isabelle couronnera le vainqueur du tournoi, comme aux beaux temps de la chevalerie. »

Quelques instants après, le chevalier de Vidalinc vint rejoindre le marquis ; les conditions furent bientôt réglées. On choisit l'épée, arme naturelle des gentilshommes, et la rencontre fut fixée au lendemain, Sigognac ne voulant pas, s'il était blessé ou tué, faire manquer la représentation annoncée par toute la ville. Le rendez-vous fut pris à un certain endroit hors des murs, dans un pré fort apprécié des duellistes de Poitiers pour sa solitude, fermeté de terrain et commodité naturelle.

L'endroit choisi était abrité du vent par une longue muraille qui avait aussi l'avantage de cacher les combattants aux voyageurs passant sur la route. Le terrain était ferme, bien battu, sans pierres, ni mottes, ni touffes d'herbe qui pussent embarrasser les pieds, et offrait toutes les facilités pour se couper correctement la gorge entre gens d'honneur.

Le duc de Vallombreuse et le chevalier Vidalinc, suivis d'un barbier-chirurgien, ne tardèrent pas à arriver. Les quatre gentilshommes se saluèrent avec une courtoisie hautaine et une politesse froide, comme il sied à des gens bien élevés qui vont se battre à mort. Une complète insouciance se lisait sur la figure du jeune duc, parfaitement brave, et d'ailleurs sûr de son adresse. Sigognac ne faisait pas moins bonne contenance, quoique ce fût son premier duel. Le marquis de Bruyères fut très satisfait de ce sang-froid et en augura bien.

Vallombreuse jeta son manteau et son feutre, et défit son pourpoint, manœuvres qui furent imitées de point en point par Sigognac. Le marquis et le chevalier mesurèrent les épées des combattants. Elles étaient de longueur égale.

Chacun se mit sur son terrain, prit son épée et tomba en garde.

« Allez, messieurs, et faites en gens de cœur, dit le marquis.

– La recommandation est inutile, fit le chevalier de Vidalinc ; ils vont se battre comme des lions. Ce sera un duel superbe. »

Vallombreuse, qui, au fond, ne pouvait s'empêcher de mépriser un peu Sigognac et s'imaginait de ne rencontrer qu'un faible adversaire, fut surpris, lorsqu'il eut négligemment tâté le fer du Baron, de trouver une lame souple et ferme qui déjouait la sienne avec une admirable aisance. Il devint plus attentif, puis essaya quelques feintes aussitôt

devinées. Au moindre jour qu'il laissait, la pointe de Sigognac s'avançait, nécessitant une prompte parade. Il risqua
une attaque ; son épée, écartée par une riposte savante, le
laissa découvert et, s'il ne se fût brusquement penché en
arrière, il eût été atteint en pleine poitrine. Pour le duc, la
face du combat changeait. Il avait cru pouvoir le diriger à
son gré, et après quelques passes, blesser Sigognac où il
voudrait au moyen d'une botte qui jusque-là lui avait toujours réussi.

Le duc, pressé par le jeu serré du Baron, avait déjà
rompu de plusieurs semelles. Il se fatiguait, et sa respiration devenait haletante. Sigognac, qui, après avoir lassé
son adversaire, portait des bottes et se fendait, faisait toujours reculer le duc.

« Pourquoi diable, murmura Vidalinc, Vallombreuse
n'essaye-t-il pas la botte que lui a enseignée Girolamo de
Naples et que ce Gascon ne doit pas connaître ? »

Comme s'il lisait dans la pensée de son ami, le jeune
duc tâcha d'exécuter la fameuse botte, mais au moment
où il allait la détacher par un coup fouetté, Sigognac le
prévint et lui porta un coup droit si bien à fond qu'il tra-
versa l'avant-bras de part en part. La douleur de cette
blessure fit ouvrir les doigts au duc, dont l'épée roula sur
terre.

Sigognac, avec une courtoisie parfaite, s'arrêta aussitôt,
quoiqu'il pût doubler le coup sans manquer aux conven-
tions du duel, qui ne devait pas s'arrêter au premier sang.
Il appuya la pointe de sa lame en terre, mit la main gauche
sur la hanche et parut attendre les volontés de son adversaire. Mais Vallombreuse, à qui, sur un geste d'acquiescement de Sigognac, Vidalinc remit l'épée en main, ne put la
tenir et fit signe qu'il en avait assez.

Sur quoi Sigognac et le marquis de Bruyères
saluèrent le plus poliment du monde le duc de Vallombreuse et le chevalier de Vidalinc, et reprirent le chemin
de la ville.

X

UNE TÊTE DANS UNE LUCARNE

Le duc de Vallombreuse fut assis avec précaution dans une chaise à porteurs, le bras bandé par le chirurgien et soutenu d'une écharpe. Sa blessure, quoiqu'elle le mît hors d'état de manier l'épée de quelques semaines, n'était point dangereuse ; sans léser artère ni nerf, la lame avait traversé seulement les chairs. Assurément sa plaie le faisait souffrir, mais son orgueil saignait bien davantage.

Rentré chez lui, il ne voulut point se mettre au lit, et se coucha adossé à des carreaux sur une chaise longue, les pieds recouverts d'une courtepointe de soie piquée qu'apporta Picard, le valet de chambre, fort surpris et perplexe de voir revenir son maître navré, cas qui n'était point ordinaire, vu l'habileté à l'escrime du jeune duc.

« Conçois-tu, Vidalinc, que cette maigre cigogne déplumée, envolée de la tour en ruine de son castel pour n'y pas mourir de faim, m'ait ainsi perforé de son long bec ? moi, qui me suis mesuré avec les plus fines lames du temps, et qui suis toujours revenu du pré sans une égratignure, y laissant au contraire quelque galant pâmé et tournant de l'œil entre les bras de ses témoins !

— Il me tarde que ma blessure soit fermée, reprit le duc après un moment de silence, pour le provoquer de nouveau et prendre ma revanche.

– Ce serait une entreprise hasardeuse et que je ne vous conseillerais point, dit le chevalier ; il pourrait vous rester au bras quelque faiblesse qui diminuerait vos chances de victoire. Ce Sigognac est un antagoniste redoutable auquel il ne faut pas se frotter imprudemment. Il connaît maintenant votre jeu, et l'assurance que donne un premier avantage doublera ses forces. L'honneur est satisfait de la sorte, la rencontre a été sérieuse. Restez-en là. »

Sigognac et le marquis de Bruyères étaient tranquillement revenus à l'hôtel des *Armes de France*, où, en gentilshommes discrets, ils ne sonnèrent mot du duel ; mais les murailles qu'on dit avoir des oreilles ont aussi des yeux : elles voient pour le moins aussi bien qu'elles entendent.

A son déjeuner, tout Poitiers savait déjà que le duc de Vallombreuse avait été blessé en une rencontre par un adversaire inconnu. Sigognac, vivant fort retiré à l'hôtel, n'avait montré au public que son masque et non sa figure. Ce mystère irritait fort la curiosité, et les imaginations travaillaient avec activité pour découvrir le nom du vainqueur.

Un duel entre un seigneur de cette qualité et un baladin eût semblé chose par trop énorme et trop monstrueuse pour que le soupçon en pût naître. Vallombreuse, pour sa richesse, sa hauteur, sa beauté et ses succès près des femmes, excitait bien des haines jalouses qui n'osaient se produire ouvertement, mais dont sa défaite flattait la malignité obscure. C'était le premier échec qu'il subissait, et tous ceux que son arrogance avait froissés se réjouissaient de ce coup porté au plus tendre de son amour-propre. Ils ne tarissaient pas, quoiqu'ils ne l'eussent point vu, sur la bravoure, adresse et grande mine de l'adversaire.

Cette histoire vraie, quoique romanesque, eut beaucoup de succès dans Poitiers. On s'intéressa à ce gentilhomme si brave et si bonne lame, et, quand au théâtre parut le capitaine Fracasse, des applaudissements prolongés témoignèrent, même avant qu'il eût ouvert la bouche, de la faveur qu'on lui portait. Des dames, parmi les plus grandes et les plus huppées, ne craignirent pas d'agiter leurs mouchoirs. Il y eut aussi pour Isabelle des claquements de mains plus sonores qu'à l'ordinaire qui faillirent embarrasser cette jeune personne et lui firent monter aux joues, sous le fard, le naturel incarnat de la pudeur. Sans interrompre son rôle, elle répondit à ces marques de faveur par une révérence modeste et une gracieuse inclinaison de tête.

Hérode se frottait les mains de joie, et sa large face blême s'épanouissait comme une pleine lune, car la recette était superbe et la caisse risquait de crever par suite d'une pléthore monétaire, tout le monde ayant voulu voir ce fameux capitaine Fracasse, acteur et gentilhomme, que n'effrayaient ni bâtons ni épées, et qui ne craignait pas, valeureux champion de la beauté, de se mesurer avec un duc, terreur des plus braves. Blazius, lui, n'augurait rien de bon de ce triomphe ; il redoutait, non sans raison, l'humeur vindicative de Vallombreuse, qui trouverait bien moyen de prendre sa revanche et de jouer quelque mauvais tour à la troupe.

Les comédiens revinrent à l'auberge, et Sigognac reconduisit Isabelle jusqu'à sa chambre, où la jeune actrice, contre son habitude, le laissa entrer.

« Jurez de ne plus vous battre pour moi. Jurez-le si vous m'aimez comme vous le dites.

– C'est un serment que je ne puis faire, dit le Baron ; si

quelque audacieux ose vous manquer de respect, je le châtierai, certes, comme je le dois, fût-il duc, fût-il prince.

– Songez, reprit Isabelle, que je ne suis qu'une pauvre comédienne, exposée aux affronts du premier venu. L'opinion du monde, trop justifiée, hélas ! par les mœurs du théâtre, est que toute actrice se double d'une courtisane. Désormais fiez-vous à moi pour repousser par un maintien réservé, une parole brève, un air froid, les impertinences des seigneurs, des robins et des fats de toutes sortes qui se penchent sur ma toilette ou grattent du peigne, entre les actes, à la porte de ma loge. »

Isabelle tenait toujours la main de Sigognac, et fixait sur lui ses yeux bleus pleins de caresses et de supplications muettes pour arracher le serment désiré ; mais le Baron ne l'entendait pas de cette oreille-là, il était intraitable comme un hidalgo sur le point d'honneur, et il eût bravé mille morts plutôt que de souffrir qu'on manquât de respect à sa maîtresse ; il voulait qu'Isabelle, sur les planches, fût estimée comme une duchesse en un salon.

« Consolez-vous, chère Isabelle, dit-il d'une voix tendrement enjouée, je ne suis pas mort, et j'ai même blessé mon adversaire quoiqu'il passe pour assez bon duelliste.

– Je sais que vous êtes un brave cœur et une main ferme, reprit Isabelle, aussi je vous aime et ne crains pas de vous le dire, sûre que vous respecterez ma franchise et n'en tirerez point avantage. Quand je vous ai vu si triste et si abandonné en ce château lugubre où se fanait votre jeunesse, je me suis senti une tendre et mélancolique pitié à votre endroit. Dans cette promenade au jardin, où vous écartiez les ronces devant moi, vous m'avez cueilli une petite rose sauvage, seul cadeau que vous pussiez me faire ; j'y ai laissé tomber une larme avant de la mettre dans mon sein, et, silencieusement, je vous ai donné mon âme en échange. »

En entendant ces douces paroles, Sigognac voulut baiser les belles lèvres qui les avaient dites ; mais Isabelle se dégagea de son étreinte sans pruderie farouche, mais avec cette fermeté modeste qu'un galant homme ne doit pas contrarier.

« Oui, je vous aime, continua-t-elle, mais ce n'est pas à la façon des autres femmes ; j'ai votre gloire pour but et non mon plaisir. Je veux bien qu'on me croie votre maîtresse, c'est le seul motif qui puisse excuser votre présence parmi cette troupe de baladins. Qu'importent les méchants propos pourvu que je garde ma propre estime et que je me sache vertueuse ? Une tache me ferait mourir. C'est sans doute le sang noble que j'ai dans les veines qui m'inspire ces fiertés, bien ridicules, n'est-ce pas ? chez une comédienne, mais je suis faite ainsi.

– Adorable Isabelle, chaque mot que vous dites, s'écria Sigognac, me fait sentir davantage mon indignité ; j'ai méconnu ce cœur d'ange ; je devrais baiser la trace de vos pas. Mais ne craignez plus rien de moi ; l'époux saura contenir les fougues de l'amant. Je n'ai que mon nom ; il est pur et sans tache comme vous. Je vous l'offre si vous daignez l'accepter. »

Sigognac était toujours à genoux devant Isabelle : à ces mots la jeune fille se baissa vers lui et, lui prenant la tête avec un mouvement de passion délirant, elle imprima sur les lèvres du Baron un baiser rapide ; puis, se levant, elle fit quelques pas dans la chambre.

« Vous serez ma femme, dit Sigognac, enivré au contact de cette bouche fraîche comme une fleur, ardente comme une flamme.

— Jamais, jamais, répondit Isabelle avec une exaltation extraordinaire ; je me montrerai digne d'un tel honneur en le refusant. Vous m'avez offert votre nom, cela me suffit. Je vous le rends, après l'avoir gardé une minute dans mon cœur. Un instant j'ai été votre femme et je ne serai jamais à un autre. Tout le temps que je vous embrassais, j'ai dit oui en moi-même. Je n'avais pas droit à tant de bonheur sur terre. Pour vous, ami cher, ce serait une grande faute d'embarrasser votre fortune d'une pauvre comédienne comme moi, à qui l'on reprocherait toujours sa vie de théâtre, quoique honorable et pure. Vous êtes le dernier d'une noble race, et vous avez pour devoir de relever votre maison, abattue par le sort adverse. Contentez-vous donc d'un amour le plus pur, le plus vrai, le plus dévoué qui ait jamais fait battre le cœur d'une femme, mais ne prétendez pas autre chose. »

De retour chez lui, Sigognac fut longtemps à se remettre de l'émotion que lui avait causée cette scène. Il était à la fois désolé et ravi, radieux et sombre, au ciel et dans l'enfer. Il riait et pleurait, en proie aux sentiments les plus tumultueux et les plus contradictoires ; la joie d'être aimé d'une si belle personne et d'un si noble cœur le faisait exulter, et la certitude de n'en rien obtenir jamais le jetait dans un accablement profond. Peu à peu ces folles vagues s'apaisèrent et le calme lui revint. Sa pensée reprit une à une pour les commenter les phrases d'Isabelle, et le tableau du château de Sigognac reconstruit qu'elle avait évoqué se présenta à son imagination échauffée avec les couleurs les plus vives et les plus fortes. Il eut tout éveillé comme une sorte de rêve :

La façade du castel rayonnait blanche au soleil, et les girouettes dorées à neuf brillaient sur le fond du ciel bleu.

Pierre, revêtu d'une riche livrée, debout entre Miraut et Béelzébuth sous la porte armoriée, attendait son maître. Des cheminées si longtemps éteintes montaient de joyeuses fumées, montrant que le château était peuplé par une domesticité nombreuse et que l'abondance y était revenue.

Il se voyait lui-même vêtu d'un habit aussi galant que magnifique dont les broderies scintillaient et papillotaient, menant vers le manoir de ses ancêtres Isabelle, qui portait un costume de princesse blasonné d'armoiries dont les émaux et les couleurs semblaient appartenir à une des plus grandes maisons de France. Une couronne ducale brillait sur son front. Mais la jeune femme n'en paraissait pas plus fière. Elle gardait son air tendre et modeste et tenait à la main la petite rose, présent de Sigognac, auquel le temps n'avait rien fait perdre de sa fraîcheur, et tout en marchant elle en respirait le parfum.

Quand le jeune couple s'approcha du château, un vieillard de l'aspect le plus vénérable et le plus majestueux, sur la poitrine duquel étincelaient plusieurs ordres, et dont la physionomie était totalement inconnue à Sigognac, fit quelques pas hors du porche comme pour souhaiter la bienvenue aux jeunes époux. Mais ce qui surprit fort le Baron, c'est que près du vieillard se tenait un jeune homme de la plus fière tournure dont il ne distinguait d'abord pas bien les traits, mais qui bientôt lui parut être le duc de Vallombreuse. Le jeune homme lui souriait amicalement et n'avait plus son expression hautaine.

Sigognac, après s'être laissé aller à ces rêvasseries fantasmagoriques, se tança de sa paresse et parvint, non sans peine, à fixer son attention sur la pièce qu'Isabelle lui avait confiée pour en retoucher quelques passages. Ce travail l'amena fort tard dans la nuit, mais il s'en tira à son avantage et satisfaction, et fut récompensé, le lendemain, par un gracieux sourire d'Isabelle, qui se mit tout de suite à apprendre les vers que son poète, comme elle l'appelait, avait arrangés.

A la représentation du soir, la foule fut encore plus considérable que la veille, et peu s'en fallut que le portier ne restât étouffé dans la presse des spectateurs qui voulaient tous entrer en même temps à la comédie, craignant, bien qu'ils eussent payé, de n'y trouver place.

En rentrant dans sa chambre, Isabelle trouva au milieu de la table une cassette placée de manière à forcer le regard le plus distrait de la voir. Un papier plié était posé sous un des angles de la boîte qui devait contenir des choses fort précieuses, car elle était déjà un joyau elle-même. Le papier n'était point scellé et contenait ces mots d'une écriture tremblée et péniblement formée comme celle d'une main dont l'usage n'est pas libre : « Pour Isabelle. »

« Tirez cela d'ici, dit Isabelle à maître Bilot, rendez cette boîte infâme à qui l'envoie, et surtout ne sonnez mot de la chose au Capitaine ; quoique ma conduite ne soit en rien coupable, il pourrait entrer en des furies et faire des esclandres dont souffrirait ma réputation. »

Agitée, enfiévrée, Isabelle, après le départ de maître Bilot, ouvrit la fenêtre pour éteindre, à la fraîcheur de la nuit, les feux de ses joues et de son front. Une lumière brillait à travers les branches des arbres sur la façade noire de l'hôtel Vallombreuse, sans doute au logis du jeune duc blessé. La ruelle semblait déserte. Cependant Isabelle, de cette ouïe fine de la comédienne habituée à saisir au vol le murmure du souffleur, crut entendre une voix très basse qui disait : « Elle n'est pas encore couchée. »

Très intriguée de cette phrase, elle se pencha un peu, et il lui sembla démêler dans l'ombre, au pied de la muraille, deux formes humaines enveloppées de manteaux et se tenant immobiles comme des statues de pierre au porche d'une église ; à l'autre bout de la ruelle, malgré l'obscurité, ses yeux dilatés par la peur découvrirent un troisième fantôme qui paraissait faire le guet.

Se sentant observés, les êtres énigmatiques disparurent ou se cachèrent plus soigneusement, car Isabelle ne distingua ni n'entendit plus rien. Un pressentiment anxieux lui serrait la poitrine. Si elle n'eût craint d'être raillée, elle se fût levée et réfugiée chez une compagne, mais Zerbine n'était pas seule, Sérafine ne l'aimait guère, et la Duègne lui causait une répugnance instinctive. Elle resta donc en proie à d'inexprimables terreurs.

Bientôt une tête basanée, à longs cheveux noirs ébouriffés, s'engagea dans un des étroits compartiments dessinés par l'intersection des barreaux ; un bras maigre suivit, puis les épaules passèrent, se froissant au rude contact du fer, et une petite fille de huit à dix ans, se cramponnant de la main au rebord de l'ouverture, allongea tant qu'elle put son corps chétif le long de la muraille et se laissa tomber sur le plancher sans faire plus de bruit qu'une plume ou qu'un flocon de neige qui descendent à terre.

A l'immobilité d'Isabelle, pétrifiée et médusée de terreur, l'enfant l'avait crue endormie, et quand elle s'approcha du lit, pour s'assurer si ce sommeil était profond, une surprise extrême se peignit sur son visage couleur de bistre. « La dame au collier ! dit-elle en touchant les perles qui bruissaient à son col maigre et brun, la dame au collier ! »

De son côté, Isabelle, à demi morte de peur, avait reconnu la petite fille rencontrée à l'auberge du *Soleil bleu* et sur la route de Bruyères en compagnie d'Agostin. Elle essaya d'appeler au secours, mais l'enfant lui mit la main sur la bouche.

« Ne crie pas, tu ne cours aucun danger ; Chiquita a dit qu'elle ne couperait jamais le col à la dame qui lui a donné les perles qu'elle avait envie de voler.

— Mais que viens-tu faire ici, malheureuse enfant ? fit Isabelle, reprenant quelque sang-froid à la vue de cet être faible et débile qui ne pouvait être bien redoutable, et d'ailleurs manifestait certaine reconnaissance sauvage et bizarre à son endroit.

— Ouvrir le verrou que tu pousses tous les soirs, reprit Chiquita du ton le plus tranquille et comme n'ayant aucun doute sur la légitimité de son action ; on m'a choisie pour cela parce que je suis agile et mince comme une couleuvre. Il n'y a guère de trous par où je ne puisse passer.

— Et pourquoi voulait-on te faire ouvrir le verrou ? Pour me voler ?

— Oh ! non, répondit Chiquita d'un air dédaigneux ; c'était pour que les hommes pussent entrer dans la chambre et t'emporter.

— Qui a tramé cette machination odieuse ? dit la pauvre comédienne, tout effarée du péril qu'elle avait couru.

— C'est le seigneur qui a donné de l'argent, oh ! beaucoup d'argent ! comme ça, plein les mains ! répondit Chiquita dont les yeux brillèrent d'un éclat cupide et farouche ; mais c'est égal, tu m'as fait cadeau des perles ; je dirai aux autres que tu ne dormais pas, qu'il y avait un homme dans ta chambre et que c'est un coup manqué. Ils s'en iront. Laisse-moi te regarder ; tu es belle et je t'aime, oui, beaucoup, presque autant qu'Agostin. Tiens ! fit-elle en avisant sur la table le couteau trouvé dans la charrette, tu as là le couteau que j'ai perdu, le couteau de mon père. Garde-le, c'est une bonne lame :

> Quand cette vipère vous pique,
> Pas de remède en la boutique.

Vois-tu, on tourne la virole ainsi et puis on donne le coup comme cela ; de bas en haut, le fer entre mieux. Porte-le dans ton corsage, et quand les méchants te voudront contrarier, paf ! tu leur fendras le ventre. » Et la petite commentait ses paroles de geste assortis.

Cette leçon de couteau, donnée, la nuit, dans cette situation étrange par cette petite voleuse hagarde et demi-folle, produisait sur Isabelle l'effet d'un de ces cauchemars qu'on essaye en vain de secouer.

« Tiens le couteau dans ta main de la sorte, les doigts bien serrés. On ne te fera rien. Maintenant, je m'en vais. Adieu, souviens-toi de Chiquita ! »

Isabelle attendit le jour avec impatience, sans pouvoir fermer l'œil tant cet événement bizarre l'avait agitée ; mais le reste de la nuit fut tranquille.

XI

LE PONT-NEUF

Il serait long et fastidieux de suivre étape par étape le chariot comique jusqu'à Paris, la grand-ville ; il n'arriva point pendant la route d'aventure qui mérite d'être racontée.

Enfin l'on arriva vers quatre heures du soir, tout près de la grande ville, du côté de la Bièvre dont on passa le ponceau, en longeant la Seine, ce fleuve illustre entre tous, dont les flots ont l'honneur de baigner le palais de nos rois et tant d'autres édifices renommés par le monde.

Notre-Dame apparaissait en plein, se montrant par le chevet avec ses arcs-boutants semblables à des côtes de poisson gigantesque, ses deux tours carrées et sa flèche aiguë plantée sur le point d'intersection des nefs. D'autres clochetons plus humbles, trahissant au-dessus des toits des églises ou des chapelles enfouies dans la cohue des maisons, mordaient de leurs dents noires la bande claire du ciel, mais la cathédrale attirait surtout les regards de Sigognac, qui n'était jamais venu à Paris et que la grandeur de ce monument étonnait.

Le mouvement des voitures chargées de denrées diverses, le nombre des cavaliers et des piétons qui se croisaient tumultueusement sur le bord du fleuve ou dans les rues qui le longent et où s'engageait parfois le chariot pour prendre le plus court, les cris de toute cette foule l'éblouissaient et l'étourdissaient, lui, accoutumé à la vaste solitude des landes et au silence mortuaire de son vieux château délabré.

Il y avait dans le haut de la rue Dauphine, près de la porte de ce nom, une vaste hôtellerie où descendaient parfois les ambassades de pays extravagants et chimériques. Cette auberge pouvait recevoir à l'improviste de nombreuses compagnies. Les bêtes y étaient toujours sûres de trouver du foin au râtelier et les maîtres n'y manquaient jamais de lits. C'était là qu'Hérode avait fixé, comme en un lieu propice, le campement de sa horde théâtrale. Le brillant état de la caisse permettait ce luxe ; luxe utile d'ailleurs, car il relevait la troupe en montrant qu'elle n'était point composée de vagabonds, escrocs et débauchés, forcés par la misère à ce fâcheux métier d'histrions de province, mais bien de braves comédiens à qui leur talent faisait un revenu honnête, chose possible comme il appert des raisons qu'en donne M. Pierre de Corneille, poète célèbre, en sa pièce de *l'Illusion comique*.

La cuisine où les comédiens entrèrent en attendant qu'on préparât leurs chambres était grande à y pouvoir accommoder à l'aise le dîner de Gargantua ou de Pantagruel.

A plusieurs broches superposées, que faisait mouvoir un chien se démenant comme un possédé à l'intérieur d'une roue, se doraient des chapelets d'oies, de poulardes et de coqs vierges, brunissaient des quartiers de bœuf, roussissaient des longes de veau, sans compter les perdrix, bécassines, cailles et autres menues chasses. Un marmiton à demi cuit lui-même et ruisselant de sueur, bien qu'il ne fût vêtu que d'une simple veste de toile, arrosait ces victuailles avec une cuillère à pot qu'il replongeait dans la lèchefrite dès qu'il en avait versé le contenu : vrai travail de Danaïde, car le jus recueilli s'écoulait toujours.

Au moment où un valet venait dire aux comédiens que leurs chambres étaient prêtes, un voyageur entra dans la cuisine et s'approcha de la cheminée ; c'était un homme d'une trentaine d'années, de haute taille, mince, vigoureux, de physionomie déplaisante quoique régulière. Le reflet du foyer bordait son profil d'un liséré de feu, tandis que le reste de sa figure baignait dans l'ombre.

Le costume se composait d'un pourpoint en drap gris de fer agrafé sur une veste de buffle, d'un haut-de-chausses de couleur brune et de bottes de feutre remontant au-dessus du genou et se plissant en vagues spirales autour des jambes.

Il eût été difficile de préciser à quelle classe appartenait le nouveau venu. Ce n'était ni un marchand, ni un bourgeois, ni un soldat. La supposition la plus plausible l'eût fait ranger dans la catégorie de ces gentilshommes pauvres ou de petite noblesse qui se font domestiques chez quelque grand et s'attachent à sa fortune.

Sigognac regardait avec une certaine curiosité ce grand drôle dont la physionomie ne lui semblait pas inconnue, bien qu'il ne pût se rappeler ni en quel endroit ni en quel temps il l'avait rencontrée. Vainement il battit le rappel de ses souvenirs, il ne trouva pas ce qu'il cherchait. Cependant il sentait confusément que ce n'était pas la première fois qu'il se trouvait en contact avec cet énigmatique personnage qui, peu soucieux de cet examen inquisitif dont il paraissait avoir conscience, tourna tout à fait le dos à la salle en se penchant vers la cheminée sous figure de se chauffer les mains de plus près.

Comme sa mémoire ne lui fournissait rien de précis et

qu'une plus longue insistance eût pu faire naître une querelle inutile, le Baron suivit les comédiens, qui prirent possession de leurs logis respectifs, et après avoir fait un bout de toilette se réunirent dans une salle basse où était servi le souper auquel ils firent fête en gens affamés et altérés.

« Barricadez-vous bien dans votre réduit, dit Sigognac en reconduisant Isabelle jusqu'à la porte de sa chambre ; il y a tant de gens en ces hôtelleries, qu'on ne saurait trop prendre de sûretés.

— Ne craignez rien, cher Baron, répondit la jeune comédienne, ma porte ferme par une serrure à trois tours qui pourrait clore une prison. »

Quand elle fut rentrée, Sigognac entendit tourner la clef dans la serrure, le pêne mordre la gâchette et le verrou grincer de la façon la plus rassurante ; mais comme il mettait le pied au seuil de sa chambre, il vit passer sur la muraille, découpée par la lumière du falot qui éclairait le corridor, l'ombre d'un homme qu'il n'avait pas entendu venir et dont le corps le frôla presque. Sigognac retourna vivement la tête. C'était l'inconnu de la cuisine se rendant sans doute au logis que l'hôte lui avait assigné. Cela était fort simple ; cependant le Baron suivit du regard, jusqu'à ce qu'un coude du corridor le dérobât à sa vue, en faisant mine de ne pas rencontrer tout d'abord le trou de la serrure, ce personnage mystérieux dont la tournure le préoccupait étrangement.

N'ayant pas envie de dormir, Sigognac se mit à écrire une lettre au brave Pierre, comme il lui avait promis de le faire dès son arrivée à Paris.

Cette épître était ainsi conçue :

Mon bon Pierre, me voici enfin à Paris, où, à ce qu'on pré-tend, je dois faire fortune et relever ma maison déchue, quoique à vrai dire je n'en voie guère le moyen. Cependant quelque heureuse occasion peut me rapprocher de la cour, et si je parviens à parler au roi, de qui toutes grâces émanent, les services rendus par mes aïeux aux rois ses prédécesseurs me seront sans doute comptés. Sa Majesté ne souffrira pas qu'une noble famille qui s'est ruinée dans les guerres s'éteigne ainsi misérablement. En attendant, faute d'autres ressources, je joue la comédie, et j'ai, à ce métier, gagné quelques pistoles dont je t'enverrai une part dès que j'aurai trouvé une occasion sûre.

La seule aventure de marque que j'aie eue en ce long voyage, c'est un duel avec un certain duc fort méchant et très grand spadassin, dont je suis sorti à ma gloire, grâce à tes bonnes leçons. Je lui ai traversé le bras de part en part, et rien ne m'était plus facile que de le coucher mort sur le pré, car sa parade ne vaut pas son attaque, étant plus fougueux que prudent et moins ferme que rapide.

Ton élève te fait honneur, et j'ai beaucoup grandi en la considération générale après cette victoire vraiment trop facile.

Mais laissons cela. Je pense souvent, malgré les distractions d'une nouvelle vie, à ce pauvre vieux château dont les ruines s'écroulent sur les tombes de ma famille et où j'ai passé ma triste jeunesse. De loin, il ne me paraît plus si laid ni si maus-sade.

Et, pourquoi rougirais-je de le dire? je voudrais bien entendre le rouet de Béelzébuth, l'aboi de Miraut et le hen-nissement de ce pauvre Bayard, qui rassemblait ses dernières forces pour me porter, bien que je ne fusse guère lourd.

Tâchez de vivre tous jusqu'à ce que je revienne pauvre ou

riche, heureux ou désespéré, pour partager mon désastre ou
ma fortune, et finir ensemble, selon que le sort en disposera,
dans l'endroit où nous avons souffert. Si je dois être le der-
nier des Sigognac, que la volonté de Dieu s'accomplisse! Il y
a encore pour moi une place vide dans le caveau de mes
pères.

BARON DE SIGOGNAC.

Le Baron scella cette lettre d'une bague à cachet, seul
bijou qu'il conservât de son père et qui portait gravées les
trois cigognes sur champ d'azur; il écrivit l'adresse et
serra la missive dans un portefeuille pour l'envoyer quand
partirait quelque courrier pour la Gascogne. Du château
de Sigognac, où l'idée de Pierre l'avait transporté, son
esprit revint à Paris et à la situation présente. Quoique
l'heure fût avancée, il entendait vaguement bruire autour
de lui ce murmure sourd d'une grande ville qui, de même
que l'Océan, ne se tait jamais alors même qu'elle semble
reposer.

Au déjeuner, Hérode dit à Sigognac: « Capitaine, la
curiosité ne vous point-elle pas d'aller visiter un peu cette
ville, une des principales de ce monde, et dont on fait tant
de récits? Nous sommes ici tout portés pour voir le spectacle, le Pont-Neuf étant pour Paris ce qu'était la voie
Sacrée pour Rome, le passage, rendez-vous et galerie péripatétique des nouvellistes, gobe-mouches, poètes, escrocs,
tire-laine, bateleurs, courtisanes, gentilshommes, bourgeois, soudards et gens de tous états.

— Votre proposition m'agrée fort, brave Hérode,
répondit Sigognac, mais prévenez Scapin qu'il reste à
l'hôtel, et de son œil de renard surveille les allants et
venants dont les façons ne seraient pas bien claires. Qu'il

ne quitte pas Isabelle. La vengeance de Vallombreuse rôde autour de nous, cherchant à nous dévorer. »

A l'angle de la rue Dauphine, Hérode fit remarquer à Sigognac, sous le porche des Grands-Augustins, les gens qui venaient acheter la viande saisie chez les bouchers les jours défendus et se ruaient pour en avoir quelque quartier à bas prix. Il lui montra aussi les nouvellistes, agitant entre eux les destins des royaumes, remaniant à leur gré les frontières, partageant les empires et rapportant de point en point les discours que les ministres avaient tenus seuls en leurs cabinets. Là se débitaient les gazettes, les libelles, écrits satiriques et autres menues brochures colportées sous le manteau. Tout ce monde chimérique avait la mine hâve, l'air fou et le vêtement délabré.

« Ne nous arrêtons pas, dit Hérode, à écouter leurs billevesées, nous n'en aurions jamais fini. Avançons de quelques pas et nous allons jouir d'un des plus beaux spectacles de l'univers, et tels que les théâtres n'en présentent point dans leurs décorations de pièces à machines.

– Ce qui m'étonne, répondait Sigognac, encore plus que la grandeur, richesse et somptuosité des bâtiments tant publics que privés, c'est le nombre infini des gens qui pullulent et grouillent en ces rues, places et ponts comme des fourmis dont on vient de renverser la fourmilière, et qui courent éperdus de çà, de là, avec des mouvements dont on ne peut soupçonner le but. »

En effet, l'affluence du populaire qui circulait sur le Pont-Neuf avait de quoi surprendre un provincial. Au milieu de la chaussée se suivaient et se croisaient des carrosses à deux ou quatre chevaux, les uns fraîchement peints et dorés, garnis de velours avec glaces aux portières se balançant sur un moelleux ressort, peuplés de laquais à l'arrière-train et guidés par des cochers à trognes vermeilles en grande livrée, qui contenaient à peine, parmi cette foule, l'impatience de leur attelage. A tout cela se mêlaient des charrettes chargées de pierre, de bois ou de tonneaux, conduites par des charretiers brutaux à qui les embarras faisaient renier Dieu avec une énergie endiablée. A travers ce dédale mouvant de chars, les cavaliers cherchaient à se frayer un passage et ne manœuvraient pas si bien qu'ils n'eussent parfois la botte effleurée et crottée par un moyeu de roue. Les chaises à porteurs, les unes de maîtres, les autres de louage, tâchaient de se tenir sur les bords du courant pour n'en être point entraînées, et longeaient autant que possible les parapets du pont. Vint à passer un troupeau de bœufs, et le désordre fut à son comble. D'autres fois, c'était une compagnie de soldats se rendant à quelque poste, enseignes déployées et tambour en tête, et il fallait bien que la foule fit place à ces fils de Mars accoutumés à ne point rencontrer de résistance.

« Tout ceci, dit Hérode à Sigognac que ce spectacle absorbait, n'est que de l'ordinaire. Tâchons de fendre la presse et de gagner les endroits où se tiennent les originaux du Pont-Neuf, figures extravagantes et falotes qu'il est bon de considérer de plus près. Nulle autre ville que Paris n'en produit de si hétéroclites. Elles poussent entre ses pavés comme fleurs ou plutôt champignons difformes et monstrueux auxquels aucun sol ne convient comme cette boue noire. »

Tout à coup un tumulte se fit entendre à l'autre bout du pont, et la foule courut au bruit. C'étaient des bretteurs qui s'escrimaient sur le terre-plein au pied de la statue, comme en l'endroit le plus libre et le plus dégagé. Ils criaient : Tue ! tue ! et faisaient mine de se charger avec furie. Mais ce n'étaient qu'estocades simulées, que bottes retenues et courtoises comme dans les duels de comédie, où, tant tués que blessés, il n'y a jamais personne de mort.

Cette feinte querelle avait pour but de produire un rassemblement pour que, parmi la foule, les coupe-bourses et les tire-laine pussent faire leurs coups tous à l'aise.

« Il est possible, dit Hérode, que cette querelle n'ait été qu'un coup monté pour vous attirer sur ce point, car nous devons être suivis par les émissaires du duc de Vallombreuse. Un des bretteurs eût feint d'être gêné ou choqué de votre présence, et, sans vous laisser le temps de dégainer, il vous eût porté comme par mégarde quelque botte assassine, et, au besoin, ses camarades vous auraient achevé. Le tout eût été mis sur le dos d'une rencontre et rixe fortuite.

– Cela me répugne, répondit le généreux Sigognac, de croire un gentilhomme capable de cette bassesse de faire assassiner son rival par des gladiateurs. S'il n'est pas satisfait d'une première rencontre, je suis prêt à croiser de nouveau le fer avec lui, jusqu'à ce que la mort de l'un ou de l'autre s'ensuive. C'est ainsi que les choses se passent entre gens d'honneur. »

En discourant de la sorte, les deux compagnons gagnèrent le quai de l'École, et là un carrosse faillit écraser Sigognac, encore qu'il se fût rangé promptement.

Les glaces de ce carrosse étaient levées, et les rideaux intérieurs abaissés ; mais qui les eût écartés eût vu un seigneur magnifiquement habillé, dont une bande de taffetas noir pliée en écharpe soutenait le bras. A ce portrait, esquissé en soulevant le rideau d'une voiture qui passe à toute vitesse, on a sans doute reconnu le jeune duc de Vallombreuse.

« Encore ce coup manqué, dit-il, pendant que le carrosse l'emportait le long des Tuileries vers la porte de la Conférence. J'avais pourtant promis à mon cocher vingt-cinq louis, s'il était assez adroit pour accrocher ce damné Sigognac et le rouer contre une borne comme par accident. Décidément mon étoile pâlit ; ce petit hobereau de campagne l'emporte sur moi. Isabelle l'adore et me déteste. Il a battu mes estafiers, il m'a blessé moi-même. Fût-il invulnérable et protégé par quelque amulette, il faut qu'il meure, ou j'y perdrai mon nom et mon titre de duc. »

« Humph ! fit Hérode en tirant une longue aspiration de sa poitrine profonde, ce cocher de malheur vous voyait fort bien, et je gagerais ma plus belle recette qu'il cherchait à vous écraser, lançant son attelage de propos délibéré contre vous, pour quelque dessein ou vengeance occulte. Quoique la preuve manque, je ne serais nullement étonné que ce carrosse appartînt au duc de Vallombreuse, qui voulait se donner le plaisir de faire passer son char sur le corps de son ennemi. Il faut donc, mon cher Capitaine, vous bien tenir sur vos gardes, car on cherche à vous monter quelque coup de Jarnac ou à vous faire tomber en quelque embûche sous forme d'accident. Votre mort livrerait sans défense Isabelle aux entreprises du duc. Que pourrions-nous contre un si puissant seigneur, nous autres pauvres histrions ? »

Les raisons qu'alléguait Hérode étaient trop plausibles pour être discutées ; aussi le Baron n'y répondit-il que par un signe d'assentiment, et porta-t-il la main sur la garde de son épée, qu'il tira à demi, afin de s'assurer qu'elle jouait bien et ne tenait point au fourreau.

Tout en causant, les deux compagnons s'étaient avancés le long du Louvre et des Tuileries jusqu'à la porte de la

Conférence, par où l'on va au Cours-la-Reine, lorsqu'ils virent devant eux un grand tourbillon de poussière où papillotaient des éclairs d'armes et des luisants de cuirasse. Ils se rangèrent pour laisser passer cette cavalerie qui précédait la voiture du roi, qui revenait de Saint-Germain au Louvre. Ils purent voir dans le carrosse, car les glaces étaient baissées et les rideaux écartés, sans doute pour que le populaire contemplât tout son soûl le monarque arbitre de ses destinées, un fantôme pâle, vêtu de noir, le cordon bleu sur la poitrine, aussi immobile qu'une effigie de cire. Cependant il y avait encore une majesté royale dans cette morne figure qui personnifiait la France, et en qui se figeait le généreux sang de Henri IV.

La voiture passa comme un éblouissement, suivie d'un gros de cavaliers qui fermaient l'escorte. Sigognac resta tout rêveur de cette apparition. « Si son regard tombait sur moi, de misérable je deviendrais riche, de faible puissant ; un homme inconnu se développerait salué et flatté de tous. Les tourelles ruinées de Sigognac se relèveraient orgueilleusement, des domaines viendraient s'ajouter à mon patrimoine rétréci. Mais comment penser que jamais il me découvre dans cette fourmilière humaine qui grouille vaguement à ses pieds et qu'il ne regarde pas ? Et quand même il m'aurait vu, quelle sympathie peut-il se former entre nous ? »

Ces réflexions, et beaucoup d'autres qu'il serait trop long de rapporter, occupaient Sigognac, qui marchait silencieusement à côté de son compagnon. Hérode respecta cette rêverie, se divertissant à regarder les équipages aller et venir. Puis il fit observer au Baron qu'il allait être midi, et qu'il était temps de diriger l'aiguille de la boussole vers le pôle de la soupe, rien n'étant pire qu'un dîner froid, si ce n'est un dîner réchauffé.

Sigognac se rendit à ce raisonnement péremptoire, et ils reprirent le chemin de leur auberge. Rien de particulier n'avait eu lieu en leur absence. Il ne s'était passé que deux heures.

Isabelle accueillit son ami avec son doux sourire habituel en lui tendant sa blanche main. Les comédiens lui adressèrent des questions badines ou curieuses sur son excursion à travers la ville, lui demandant s'il possédait encore son manteau, son mouchoir et sa bourse. A quoi Sigognac répondit joyeusement par l'affirmative. Cette aimable causerie lui fit bientôt oublier ses sombres préoccupations, et il en vint à se demander en lui-même s'il n'était pas la dupe d'une imagination hypocondriaque qui ne voyait partout qu'embûches.

Il avait raison cependant, et ses ennemis, pour quelques tentatives avortées, ne renonçaient point à leurs noirs projets. Mérindol, menacé par le duc d'être rendu aux galères d'où il l'avait tiré s'il ne le défaisait de Sigognac, se résolut à requérir l'aide d'un brave de ses amis, à qui nulle entreprise ne répugnait, quelque hasardeuse qu'elle fût, si elle était bien payée. Il ne se sentait pas de force à venir à bout du Baron, qui d'ailleurs le connaissait maintenant, ce qui en rendait l'approche difficile, vu qu'il était sur ses gardes.

Mérindol alla donc à la recherche de ce spadassin qui demeurait place du Marché-Neuf, près du Petit-Pont, endroit peuplé principalement de bretteurs, filous, tireurs de laine et autres gens de mauvaise vie.

Ce qu'ils dirent, nous l'ignorons, mais, en quittant l'agent du duc de Vallombreuse, Lampourde faisait sonner de l'or dans ses poches avec une impudence qui montrait combien il était redouté sur le Pont-Neuf.

XII

LE RADIS COURONNÉ

Quand Jacquemin Lampourde entra au *Radis couronné*, le plus triomphant vacarme régnait dans l'établissement. Des gaillards à mine truculente, tendant leurs pots vides, frappaient sur les tables des coups de poing à tuer des bœufs et qui faisaient trembler les suifs emmanchés dans des martinets de fer. D'autres criaient « tope et masse » en répondant à des rasades. Ceux-ci accompagnaient une chanson bachique, hurlée en chœur avec des voix aussi lamentablement fausses que celles de chiens hurlant à la lune, d'un cliquetis de couteau sur les côtes de leurs verres et d'un remuement d'assiettes tournées en meule. Ceux-là inquiétaient la pudeur des Maritornes, qui, les bras élevés au-dessus de la foule, portaient des plats de victuailles fumantes et ne pouvaient se défendre contre leurs galantes entreprises, tenant plus à conserver leur plat que leur vertu. Quelques-uns pétunaient dans de longues pipes de Hollande et s'amusaient à souffler de la fumée par les naseaux.

Notre bretteur était là depuis quelques minutes quand la porte du cabaret s'entrouvrit ; un quidam, vêtu de noir de la tête aux pieds, n'ayant de blanc que son rabat et un flot de linge qui lui bouffait au ventre, entre sa veste et son haut-de-chausses, fit son apparition dans l'établissement.

Ce personnage offrait la particularité d'avoir la face d'une blancheur blafarde comme si elle avait été saupoudrée de farine, et le nez aussi rouge qu'un charbon ardent. De petites fibrilles violettes le veinaient et témoignaient d'un culte assidu pour la dive bouteille. Le calcul de ce qu'il avait fallu de tonneaux de vin et de fiasques d'eau-de-vie avant de l'amener à cette intensité d'érubescence effrayait l'imagination. Ce masque bizarre ressemblait à un fromage où l'on aurait planté une guigne. Pour achever la portraiture, il eût suffi de deux pépins de pomme à la place des yeux et d'une mince estafilade représentant la bouche fendue en tirelire. Tel était Malartic, l'ami de cœur, le Pylade de Jacquemin Lampourde; il n'était pas beau, certes, mais les qualités morales rachetaient bien chez lui ces petits désagréments physiques. Après Jacquemin, à l'endroit duquel il professait la plus profonde admiration, c'était la meilleure lame de Paris.

Malartic alla droit à la table de Lampourde, prit un escabeau, s'assit en face de son ami, empoigna silencieusement le verre plein qui semblait l'attendre et le vida d'un trait. Son système différait de celui de Jacquemin, mais n'en était pas moins efficace, comme le prouvait la pourpre cardinalesque de son nez. Au bout de la séance, les deux amis comptaient le même nombre de marques à la craie sur l'ardoise de l'hôtelier, et le bon père Bacchus, à cheval sur la barrique, leur souriait sans préférence comme à deux dévots de culte divers, mais d'égale ferveur. L'un dépêchait sa messe, l'autre la faisait durer; mais toujours la messe était dite.

« Comment vont les affaires, disait Lampourde à Malartic avec le ton d'un marchand qui se renseigne sur le cours des denrées; nous sommes dans une morte-saison.

Le roi habite Saint-Germain où les courtisans le suivent. Cela fait du tort au commerce ; il n'y a plus à Paris que des bourgeois et des gens de peu ou de rien.

— Ne m'en parle pas ! répondit Malartic, c'est une indignité. L'autre soir j'arrête sur le Pont-Neuf un gaillard d'assez bonne apparence, je lui demande la bourse ou la vie ; il me jette sa bourse, il n'y avait que trois ou quatre pièces de six blancs, et le manteau qu'il me laissa n'était que de serge avec un galon d'or faux. Au lieu d'être le voleur j'étais le volé. Au tripot, on ne rencontre plus que des laquais, des clercs de procureurs ou des enfants précoces qui ont pris dans le tiroir paternel quelques pistoles pour venir tenter la fortune. En deux coups de cartes et trois coups de dés on en a vu la fin. Il est outrageux de déployer ses talents pour un si mince résultat !

— Le bon temps est passé, répliqua Jacquemin Lampourde ; autrefois un grand aurait pris nos courages à son service. Nous l'aurions aidé en ses expéditions et besognes secrètes, maintenant il faut travailler pour le public. Cependant il y a encore quelques bonnes aubaines. »

Et en disant ces mots il agitait des pièces d'or dans sa poche. Cette sonnerie mélodieuse fit pétiller étrangement l'œil de Malartic ; mais bientôt son regard reprit son expression placide, l'argent d'un camarade étant chose sacrée ; il se contenta de pousser un soupir qui pouvait se traduire par ces mots : « Tu es bien heureux, toi ! »

« Je pense d'ici à peu, continua Lampourde, pouvoir te procurer du travail, car tu n'es pas paresseux à la besogne, et tu as bientôt fait de retrousser ta manche lorsqu'il s'agit de détacher une estocade ou de tirer un coup de pistolet. Expédition assez compliquée et dangereuse, poursuivit le bretteur ; je suis chargé de supprimer un certain capitaine Fracasse, baladin de son métier, qui gêne à ce qu'il paraît les amours d'un fort grand seigneur. Pour ce travail, j'y suffirai bien tout seul ; mais il s'agit aussi d'organiser le rapt de la donzelle aimée à la fois du grand et de l'histrion, et qui sera disputée aux ravisseurs par sa compagnie ; dressons une liste d'amis solides et sans scrupules.

— Cornebœuf, répondit Malartic, est présentement en voyage le long des côtes barbaresques sous le commandement de Cadet la Perle. Le roi le tient en estime si particulière qu'il l'a fait blasonner d'une fleur de lis à l'épaule pour le retrouver partout au cas qu'il se perdît. Mais, par exemple, Piedgris, Tordgueule, La Râpée et Bringuenarilles sont libres et « *a la disposicion de usted* ».

— Ces noms me suffisent ; ils appartiennent à des braves et tu m'aboucheras avec eux lorsqu'il en sera temps. Sur ce, achevons cette quarte bouteille et tirons nos grègues d'ici. L'air frais de la nuit nous fera du bien. A propos, où couches-tu ce soir ?

— Je n'ai point envoyé en avant mon fourrier préparer mes logis, répondit Malartic, et ma tente n'est dressée nulle part ; je pourrais frapper à l'hôtel de la Limace, mais j'y ai un mémoire long comme mon épée, et rien n'est plus désagréable à voir au réveil que la mine renfrognée d'un vieil hôte qui se refuse avec grognement à la moindre dépense nouvelle et réclame son dû, agitant une poignée de notes au-dessus de sa tête comme le sieur Jupin son foudre. L'apparition subite d'un exempt me serait moins maussade.

— Pur effet nerveux, faiblesse compréhensible, car chaque grand homme a la sienne, fit sentencieusement Lampourde ; mais puisqu'il te répugne de te présenter à la

Limace, et que l'hôtel de la Belle-Étoile est un peu trop réfrigérant par l'hiver qui court, je t'offre l'hospitalité antique de mon taudis aérien et pour couche la moitié de mon tréteau.

– J'accepte, répondit Malartic, avec une reconnaissance bien sentie. O trois et quatre fois heureux le mortel qui a des lares et des pénates et peut faire asseoir à son foyer l'ami de son cœur ! »

XIII

DOUBLE ATTAQUE

Le duc de Vallombreuse n'était pas homme à négliger son amour plus que sa vengeance. S'il haïssait mortellement Sigognac, il avait pour Isabelle une de ces passions furieuses que surexcite le sentiment de l'impossible chez ces âmes hautaines et violentes habituées à ce que rien ne leur résiste. Triompher de la comédienne devenait la pensée dominante de sa vie.

Il fit appeler dame Léonarde, avec laquelle il n'avait cessé d'entretenir des intelligences secrètes, étant toujours bon de maintenir un espion dans la place, même fût-elle imprenable.

Léonarde, par un escalier dérobé, fut introduite en la chambre particulière du duc, où il ne recevait que ses plus intimes amis et fidèles serviteurs.

« Dame Léonarde, dit le duc rompant le silence, je vous ai fait venir afin de me concerter avec vous sur les moyens de séduire cette farouche Isabelle. Que devient cette beauté revêche ? Est-elle toujours aussi entichée de son Sigognac ?

– Toujours, répliqua dame Léonarde en poussant un soupir ; la jeunesse a de ces entêtements bizarres qui ne s'expliquent point. Isabelle, d'ailleurs, ne semble point pétrie dans le limon ordinaire. Aucune tentation ne mord sur elle, et dans le Paradis terrestre elle eût été femme à ne point écouter le serpent.

— Comment donc, s'écria le duc avec un mouvement de colère, ce damné Sigognac a-t-il pu se faire entendre de cette oreille si bien fermée aux propos des autres ? Allons, cherchez dans quelque tiroir secret de votre boîte à malice un vieux stratagème irrésistible, une fourberie triomphante, une machination à rouages compliqués qui me donne la victoire ; vous savez que l'or et l'argent ne me coûtent rien. »

Et il plongea sa main, plus blanche et aussi délicate que celle d'une femme, dans une coupe de Benvenuto Cellini, posée sur une table auprès de lui et remplie de pièces d'or. A la vue de ces monnaies qui bruissaient avec un tintement persuasif, les yeux de chouette de la douegna s'allumèrent, perçant de deux trous lumineux le cuir basané de sa face morte. Elle parut réfléchir profondément et resta quelques instants muette.

Vallombreuse attendait avec impatience le résultat de cette rêverie ; enfin la vieille reprit la parole.

« Mais pourquoi étant beau comme Adonis favori de Vénus, splendide en vos ajustements, riche, puissant à la cour, ayant tout ce qui plaît aux femmes, ne faites-vous pas tout simplement la cour à l'Isabelle ?

— Eh ! pardieu, la vieille a raison, s'écria Vallombreuse, en jetant un regard de complaisance à un miroir de Venise supporté par deux amours sculptés qui se tenaient en équilibre sur une flèche d'or, de telle façon que la glace se penchait et se redressait à volonté pour qu'on pût s'y voir plus à son aise. Isabelle a beau être froide et vertueuse, elle n'est pas aveugle, et la nature n'a pas été pour moi si marâtre que ma présence inspire l'horreur.

— Monsieur le duc n'a rien à me dire de plus, fit dame Léonarde, qui s'était levée et restait les mains croisées sur sa ceinture dans une pose d'attente respectueuse.

— Non, répondit Vallombreuse, vous pouvez vous retirer, mais auparavant prenez ceci (et il lui tendait une poignée de louis d'or), ce n'est pas votre faute s'il se trouve en la troupe d'Hérode une pudicité invraisemblable. »

Vallombreuse, en attendant la voiture, se promenait de long en large à travers la chambre, jetant, toutes les fois qu'il passait devant, un coup d'œil interrogatif au miroir de Venise, lequel, contre l'ordinaire des miroirs, lui faisait à chaque demande une réponse flatteuse.

« Il faudrait que cette péronnelle fût diantrement superbe, revêche et dégoûtée, pour ne pas devenir subitement toute vive amoureuse folle de moi, malgré ses simagrées de vertu et ses langueurs platoniques avec le Sigognac. Oui, ma toute belle, votre défaite ne manquera pas longtemps à ma gloire ; car sachez, ma petite comédienne, que rien ne peut faire obstacle à la volonté d'un Vallombreuse. »

Quelque hardi et sûr de lui-même que fût le duc, pendant le trajet il ne put se défendre d'une certaine émotion assez rare chez lui. L'incertitude de savoir comment il serait reçu de cette dédaigneuse Isabelle lui faisait battre le cœur un peu plus vite que de coutume. Les sentiments qu'il éprouvait étaient de nature fort opposée. Ils variaient de la haine à l'amour, selon qu'il s'imaginait la jeune comédienne rebelle ou docile à ses vœux.

Quand le beau carrosse doré, traîné par des chevaux de prix et surchargé de laquais aux livrées de Vallombreuse, entra dans l'auberge de la rue Dauphine, dont les portes s'ouvrirent toutes grandes pour le recevoir, l'hôtelier, le bonnet à la main, se précipita plutôt qu'il ne descendit du haut du perron pour aller à la rencontre de ce magnifique visiteur et savoir ce qu'il désirait.

Le jeune duc, de cette voix stridente et brève qui lui était familière lorsque quelque passion l'agitait, lui dit :

« Mademoiselle Isabelle demeure en cette maison. Je la voudrais voir. Est-elle au logis à cette heure ? Il n'est pas besoin de la prévenir de ma visite. Donnez-moi seulement un laquais qui m'accompagne jusqu'à sa porte.

– Je vais vous précéder pour vous montrer le chemin, dit l'hôtelier, tenant des deux mains son bonnet pressé sur son cœur. Qui aurai-je l'honneur d'annoncer ?

– Vous pouvez vous retirer maintenant, répondit Vallombreuse en mettant la main sur la clef, je m'annoncerai moi-même. »

Isabelle, assise près de la fenêtre dans une chaise haute, en manteau du matin, les pieds nonchalamment allongés sur un tabouret de tapisserie, était en train d'étudier le rôle qu'elle devait remplir dans la pièce nouvelle. Les yeux fermés, afin de ne pas voir les paroles écrites sur son cahier, elle répétait à voix basse, comme un écolier sa leçon, les huit ou les dix vers qu'elle venait de lire plusieurs fois. La lumière de la croisée, dessinant le contour velouté de son profil, piquait des étincelles d'or aux petits cheveux follets et faisait luire la nacre transparente de ses dents dans sa bouche entrouverte.

Vallombreuse s'était avancé jusqu'au milieu de la chambre, suspendant ses pas, retenant son haleine, pour ne pas déranger ce gracieux tableau qu'il contemplait avec un ravissement bien concevable ; en attendant qu'Isabelle levât les yeux et l'aperçût, il avait mis un genou en terre et tenait d'une main son feutre dont la plume balayait le plancher, tandis qu'il appuyait l'autre main sur son cœur dans une pose qu'on n'eût pu désirer plus respectueuse pour une reine.

Si la jeune comédienne était belle, Vallombreuse, il faut l'avouer, n'était pas moins beau ; la lumière donnait en plein sur sa figure d'une régularité parfaite et semblable à celle d'un jeune dieu grec qui se serait fait duc depuis la déchéance de l'Olympe. En ce moment, l'amour et l'admiration qui s'y peignaient en avaient fait disparaître cette expression impérieusement cruelle qu'on regrettait parfois d'y voir.

Enfin Isabelle tourna la tête et vit le duc de Vallombreuse agenouillé à six pas d'elle.

Elle resta glacée, pétrifiée, les yeux dilatés de terreur, la bouche entrouverte et le gosier aride, sans pouvoir faire un mouvement ni pousser un cri. Une pâleur de mort se répandit sur ses traits, son dos s'emperla de sueur froide ; elle crut qu'elle allait s'évanouir ; mais, par un prodigieux effort de volonté, elle rappela ses sens pour ne pas rester exposée aux entreprises de ce téméraire.

« Je vous inspire donc une insurmontable horreur, dit Vallombreuse sans quitter sa position et de la voix la plus douce, que ma vue seule vous produit un tel effet. Pour vous voir, j'ai affronté votre courroux, et mon amour, au risque de vous déplaire, se met à vos pieds suppliant et timide.

– De grâce, monsieur le duc, relevez-vous, dit la jeune comédienne, cette position ne vous convient point. Je ne suis qu'une pauvre actrice de province, et mes faibles charmes ne méritent pas une telle conquête. Oubliez un caprice passager et portez ailleurs des vœux que tant de femmes seraient heureuses de combler. Ne rendez point les reines, les duchesses et les marquises jalouses à cause de moi.

– Et que m'importent toutes ces femmes, fit impétueusement Vallombreuse en se relevant, si c'est votre fierté que j'adore, si vos rigueurs ont plus de charmes à mes yeux que les faveurs des autres, si votre sagesse m'enivre, si votre modestie excite ma passion jusqu'au délire, s'il faut que vous m'aimiez ou que je meure !

– Épargnez-moi ces poursuites inutiles, répondit Isabelle, et j'aurai pour vous, à défaut d'amour, une reconnaissance sans bornes.

– Vous n'avez ni père, ni mari, ni amant, dit Vallombreuse, qui se puisse opposer à ce qu'un galant homme vous recherche et tâche de vous agréer. Mes hommages ne sont pas une insulte. Pourquoi me repousser ? Oh ! vous ne savez pas quelle vie splendide j'ouvrirais devant vous si vous consentiez à m'accueillir. Voyons, Isabelle, ne détournez pas ainsi la tête, ne gardez pas ce silence de mort, ne poussez pas au désespoir une passion qui peut tout, excepté renoncer à elle-même et à vous. Cette gloire peut vous toucher d'avoir réduit et vaincu Vallombreuse, de le mener captif derrière votre char de triomphe, de nommer votre serviteur et votre esclave celui qui n'a jamais obéi, et que nuls fers n'ont pu retenir.

– Ce prisonnier serait trop illustre pour mes chaînes, dit la jeune actrice, et je ne voudrais pas contraindre une liberté si précieuse ! »

Jusque-là le duc de Vallombreuse s'était contenu ; il forçait sa violence naturelle à une douceur feinte, mais la résistance respectueuse et ferme d'Isabelle commençait à faire bouillonner sa colère. Il sentait un amour derrière cette vertu, et son courroux s'augmentait de sa jalousie.

« Dites plutôt, reprit-il d'une voix altérée, que vous êtes folle de Sigognac ! Voilà la raison de cette vertu dont vous faites montre. Qu'a-t-il donc pour vous charmer de la sorte, cet heureux mortel ? Ne suis-je pas plus beau, plus noble, plus riche, aussi jeune, aussi spirituel, aussi amoureux que lui !

— Il a du moins, répondit Isabelle, une qualité qui vous manque : celle de respecter ce qu'il aime.

— C'est qu'il n'aime pas assez », fit Vallombreuse en prenant dans ses bras Isabelle dont le corps penchait déjà hors de la fenêtre, et qui, sous l'étreinte de l'audacieux, poussa un faible cri.

Au même instant la porte s'ouvrit. Le Tyran, faisant des courbettes et des révérences outrées, pénétra dans la chambre et s'avança vers Isabelle, qu'aussitôt lâcha Vallombreuse avec une rage profonde d'être ainsi interrompu en ses prouesses amoureuses.

« Pardon, mademoiselle, dit le Tyran en lançant au duc un regard de travers, je ne vous savais pas en si bonne compagnie ; mais l'heure de la répétition a sonné à toutes les horloges, et l'on n'attend que vous pour commencer. »

En effet, par la porte entrebâillée on voyait le Pédant, Scapin, Léandre et Zerbine, qui formaient un groupe rassurant pour la pudeur menacée d'Isabelle. Le duc eut un instant l'idée de fondre l'épée en main sur cette canaille et de la disperser, mais cela eût fait un esclandre inutile ; en tuant ou blessant deux ou trois de ces histrions il n'aurait pas arrangé ses affaires : d'ailleurs ce sang était trop vil pour qu'il y trempât ses nobles mains, il se contint donc, et saluant avec une politesse glaciale Isabelle, qui, toute tremblante, s'était rapprochée de ses amis, il sortit de la chambre, mais au seuil de la porte il se retourna, fit un signe de la main, et dit : « Au revoir, mademoiselle ! », une phrase bien simple assurément, mais qui prenait du son de voix dont elle était prononcée des signifiances menaçantes et terribles.

Cette journée devait être orageuse. Lampourde, on s'en souvient, avait reçu de Mérindol la mission de dépêcher le capitaine Fracasse ; aussi le bretteur, guettant l'occasion de l'attaquer, faisait-il pied de grue sur l'esplanade où s'élève le roi de bronze, car Sigognac, pour rentrer à l'auberge, devait forcément prendre le Pont-Neuf. Jacquemin était là déjà depuis plus d'une heure, soufflant dans ses doigts pour ne pas les avoir gourds au moment de l'action, et battant la semelle afin de se réchauffer les pieds. Le temps était froid et le soleil se couchait derrière le pont Rouge, au-delà des Tuileries, dans des nuages sanguinolents. Le crépuscule baissait rapidement, et déjà les passants se faisaient rares.

Enfin Sigognac parut marchant d'un pas hâté, car une vague inquiétude l'agitait à l'endroit d'Isabelle, et il se pressait de rentrer au logis. Dans cette précipitation, il ne vit pas Lampourde, qui, lui prenant le bord du manteau, le lui tira d'un mouvement si sec et si brusque que les cordons en rompirent. En un clin d'œil Sigognac se trouva en simple pourpoint. Sans chercher à disputer sa cape à cet assaillant qu'il prit d'abord pour un vulgaire tire-laine, il mit, avec la promptitude de l'éclair, flamberge au vent et tomba en garde. De son côté, Lampourde n'avait pas été moins prompt à dégainer. Il fut content de cette garde et se dit : « Nous allons nous amuser un peu. » Les lames s'engagèrent. Après quelques tâtonnements de part et d'autre, Lampourde essaya une botte qui fut aussitôt déjouée. « Bonne parade, continua-t-il ; ce jeune homme a des principes. »

Épiant un jour pour y pénétrer, les lames liées par les pointes tournaient l'une autour de l'autre, tantôt lentes, tantôt rapides, avec des malices et des prudences qui prouvaient la force des deux combattants.

« Savez-vous, monsieur, dit Lampourde, ne pouvant contenir plus longtemps son admiration pour ce jeu si sûr, si serré et si correct, savez-vous que vous avez une méthode superbe !

– Je n'ai eu pour professeur qu'un vieux soldat nommé Pierre, répondit Sigognac, que ce babil étrange amusait ; tenez, parez celle-là ; c'est une de ses bottes favorites. » Et le Baron se fendit.

« Diable ! s'écria Lampourde en rompant d'une semelle, j'ai failli être touché ; la pointe a glissé sous le bras. En plein jour vous m'auriez perforé, mais vous n'avez pas encore l'habitude de ces combats crépusculaires et nocturnes qui exigent des yeux de chat. N'importe ! c'était bien passé, bien allongé, bien porté. Maintenant, faites bien attention, je ne vous prends pas en traître. Je vais essayer sur vous ma botte secrète, le résultat de mes études, le *nec plus ultra* de ma science, l'élixir de ma vie. Jusqu'à présent ce coup d'épée infaillible a toujours tué son homme. Si vous le parez, je vous l'apprends. C'est mon seul héritage, et je vous le léguerai ; sans cela j'emporterai cette botte sublime dans la tombe, car je n'ai encore rencontré personne capable de l'exécuter, si ce n'est vous, admirable jeune homme ! Mais voulez-vous vous reposer un peu et reprendre haleine ? »

En disant ces mots, Jacquemin Lampourde baissait la pointe de son épée. Sigognac en fit autant, et au bout de quelques minutes le duel recommença.

Après quelques passes, Sigognac, qui connaissait toutes

les ruses de l'escrime, sentit, au travail particulier de Lampourde, dont l'épée se dérobait avec une rapidité éblouissante, que la fameuse botte allait fondre sur sa poitrine. En effet, le bretteur s'aplatit subitement comme s'il tombait sur le nez, et le Baron ne vit plus devant lui d'adversaire, mais un éclair fouetté dans un sifflement lui arriva si vite au corps, qu'il n'eut que le temps de le couper par un demi-cercle qui cassa net la lame de Lampourde.

« Si vous n'avez pas le reste de mon épée dans le ventre, dit Lampourde à Sigognac en se redressant et en agitant le tronçon qui lui restait dans la main, vous êtes un grand homme, un héros, un dieu !

— Non, répondit Sigognac, je ne suis pas touché, et si je voulais je pourrais même vous clouer contre un mur comme un hibou ; mais cela répugne à ma générosité naturelle, et d'ailleurs vous m'avez amusé par votre bizarrerie.

— Baron, permettez-moi d'être désormais votre admirateur, votre esclave, votre chien. On m'avait payé pour vous tuer. J'ai même reçu des avances que j'ai mangées. C'est égal ! Je volerai pour rendre l'argent. » Cela dit, il ramassa le manteau de Sigognac, le lui remit sur les épaules en valet de chambre officieux, le salua profondément et s'éloigna.

Les deux attaques du duc de Vallombreuse avaient manqué.

XIV

LES DÉLICATESSES DE LAMPOURDE

On peut aisément s'imaginer la fureur de Vallombreuse après l'échec que lui avait fait subir la vertu d'Isabelle secourue si à propos par l'intervention des comédiens.

Il referma derrière lui toutes les portes qui s'ouvraient à son passage d'une telle violence qu'elles faillirent sauter hors des gonds, et que la dorure des ornements se détacha par écailles.

« L'impudente créature ! s'écriait-il tout en se promenant avec une agitation extrême, j'ai bien envie de la faire prendre par les sergents et jeter en un cul-de-basse-fosse d'où elle ne sortirait que rasée et fouettée pour aller à l'hôpital ou à quelque couvent de filles repenties. Il ne me serait pas difficile d'obtenir l'ordre ; mais non, sa constance ne ferait que s'affermir de ces persécutions, et son amour pour Sigognac s'augmenterait de toute la haine qu'elle prendrait à mon endroit. Cela ne vaut rien ; mais que faire ? »

Et il continuait sa promenade forcenée d'un bout à l'autre du cabinet comme une bête fauve en sa cage, sans fatiguer sa rage impuissante.

« Mais comment se fait-il que ce gentillâtre de malheur n'ait pas encore été dépêché, dit-il en s'arrêtant tout à coup, j'avais cependant donné l'ordre formel à Mérindol de l'expédier lui-même ou au moyen de quelque gladiateur plus habile et plus brave que lui s'il ne suffisait à cette besogne. Çà, faisons comparaître Mérindol et sachons où en sont les choses. »

Mérindol, appelé par Picard, se présenta devant le duc plus pâle qu'un voleur qu'on mène pendre, les tempes emperlées de sueur, la gorge sèche et la langue empâtée.

« Eh bien ! animal, dit brusquement Vallombreuse, ne t'avais-je pas chargé de nettoyer mon chemin de ce Sigognac maudit qui me gêne et m'obstrue. Tu ne l'as pas fait, car j'ai bien vu à la joie et sérénité d'Isabelle que ce maraud respire encore, et que je n'ai point été obéi. En vérité, c'est bien la peine d'avoir des bretteurs à ses gages pour être servi de la sorte !

– Monsieur le duc, je le vois avec peine, objecta Mérindol d'un ton humble et pénétré, méconnaît le zèle, et, j'oserai le dire, le talent de ses fidèles serviteurs. Mais le Sigognac n'est point un de ces gibiers ordinaires qu'on traque et qu'on abat au bout de quelques minutes de chasse. J'ai donc été obligé d'aller chercher un spadassin de mes amis, la meilleure lame de la ville, qui le guette et le dépêchera, sous prétexte de lui tirer la laine, à la première occasion crépusculaire ou nocturne sans que le nom de monsieur le duc puisse être prononcé en tout cela, comme il n'eût pas manqué si le coup avait été fait par nous qui appartenons à Sa Seigneurie. Jacquemin Lampourde est un héros... qui a mal tourné. Il passe en valeur les Achille de la fable et les Alexandre de l'histoire. Il n'est pas sans reproche, mais il est sans peur. »

Mérindol allait se retirer discrètement, quand l'entrée d'un étrange personnage lui cloua les pieds au plancher. Il y avait en effet de quoi rester stupide d'étonnement, car l'homme conduit près de Vallombreuse par Picard n'était autre que l'ami Jacquemin Lampourde, en personne naturelle. Sa présence inattendue en un tel lieu devait faire supposer quelque événement singulier et hors de toute prévision.

Aussi Mérindol était-il fort inquiet en voyant paraître ainsi, sans intermédiaire, devant le maître, cet agent de seconde main, cette machine subalterne dont la besogne devait s'accomplir dans l'ombre.

Un détail inexplicable préoccupait singulièrement Mérindol, c'est que le bras de Lampourde, sortant de dessous son manteau, tenait au poing une bourse dont la panse rondelette annonçait une somme respectable.

« Eh bien, maroufle, dit le duc, lorsqu'il eut assez considéré ce falot personnage, est-ce que tu veux me faire l'aumône par hasard que tu me mets cette bourse sous le nez, avec ton grand bras qu'on prendrait pour un bras d'enseigne ?

– Voici la chose, monsieur le duc : j'ai reçu de Mérindol des avances pour expédier un certain Sigognac, dit le capitaine Fracasse. Par des circonstances indépendantes de ma volonté, je n'ai pu satisfaire à cette commande, et comme j'ai de la probité dans mon industrie, je rapporte à qui de droit l'argent que je n'ai point gagné.

– Voilà bien, dit Vallombreuse, ces bravaches bons à figurer dans les comédies. Allons, avoue-le de bonne foi ; le Sigognac t'a fait peur.

– Jacquemin Lampourde n'a jamais eu peur, reprit le spadassin d'un ton qui, malgré l'apparence grotesque du personnage, n'était pas dénué de noblesse. Mais le Sigognac est enfermé dans sa garde comme dans une tour d'airain. J'ai employé contre lui toutes les ressources de l'escrime : feintes, surprises, dégagements, retraites, coups inusités, il a parade et riposte à chaque attaque, et quelle fermeté jointe à quelle vitesse ! quelle audace tempérée de prudence ! quel beau sang-froid ! quelle imperturbable maîtrise ! Ce n'est pas un homme, c'est un dieu l'épée à la main. En outre, comme tous les vaillants, ce capitaine fut généreux : il me tenait au bout de son épée, assez estomaqué et pantois de ma déconvenue, et il me pouvait mettre à la brochette, comme un becfigue, rien qu'en étendant le bras, il ne l'a point fait, ce qui est très délicat de la part d'un gentilhomme assailli à la brune, en plein Pont-Neuf. Je lui dois la vie, et encore que ce ne soit pas grand-chose vu le cas que j'en fais, je lui suis lié de reconnaissance ; je n'entreprendrai plus rien contre lui, et il m'est sacré. C'est pourquoi je viens prévenir monsieur le duc qu'il ne compte plus sur moi. J'aurais peut-être pu garder l'argent comme dédommagement de mes risques et périls ; mais ma conscience y répugne.

— De par tous les diables, reprends ta somme au plus vite, dit Vallombreuse d'un ton qui n'admettait pas de réplique, ou je te fais jeter par les fenêtres sans les ouvrir, toi et ta monnaie. Je ne vis jamais coquin si scrupuleux. Ce n'est pas toi, Mérindol, qui serais capable de ce beau trait à insérer dans les exemples de la jeunesse. »

Comme il vit que le bretteur hésitait, il ajouta : « Je te donne ces pistoles pour boire à ma santé.

— Je me retire de l'affaire en ce qui concerne Sigognac, dit Lampourde, mais elle sera reprise, s'il convient à Votre

Seigneurie, par mon *alter ego*, le chevalier Malartic, à qui l'on peut confier les entreprises les plus hasardeuses, tant il est habile homme. Il a la tête qui conçoit et la main qui exécute. C'est d'ailleurs l'esprit le plus dégagé de préjugés et de superstitions qui soit. J'avais ébauché, pour l'enlèvement de la comédienne à laquelle vous faites l'honneur de vous intéresser, une sorte de plan qu'il achèvera avec ce fini et cette perfection de détails qui caractérisent sa manière. »

Cette apparition bizarre, moins étrange cependant en ce siècle de raffinés et de bretteurs qu'elle ne l'eût été à toute autre époque, avait amusé et intéressé le jeune duc de Vallombreuse. Le caractère original de Jacquemin Lampourde, honnête à sa façon, ne lui déplaisait point; il lui pardonnait même de n'avoir pas réussi à tuer Sigognac. Puisque le Baron avait résisté à ce gladiateur de profession, c'est qu'il était réellement invincible, et la honte d'en avoir été blessé lui était moins cuisante à l'amour-propre. Ensuite, quelque forcené que fût Vallombreuse, cette action de faire assassiner Sigognac lui paraissait un peu énorme, non par aucune tendresse ou susceptibilité de conscience, mais parce que son ennemi était gentilhomme.

Il eût préféré dépêcher son rival lui-même, sans la supériorité de Sigognac à l'escrime, supériorité dont son bras, cicatrisé à peine, avait gardé le souvenir, et qui ne lui permettait pas de risquer, avec des chances favorables, un nouveau duel ou une attaque à main armée. Ses pensées se tournèrent donc vers l'enlèvement d'Isabelle, qui lui souriait davantage par les perspectives amoureuses qu'il ouvrait à son imagination.

« Que je la tienne, se disait-il, quelques jours en une

retraite d'où elle ne puisse m'échapper, et je saurai bien la réduire. Je serai si galant, si passionné, si persuasif, qu'elle s'étonnera bientôt elle-même de m'avoir si longtemps tenu rigueur. »

XV

MALARTIC À L'ŒUVRE

Les débuts de la troupe avaient obtenu beaucoup de succès. Il ne leur manquait plus, ayant celle de la ville, que l'approbation de la cour, où sont les plus gens de goût et les plus fins connaisseurs ; il était question de les appeler même à Saint-Germain, car le roi, sur le bruit qui s'en faisait, les désirait voir ; ce qui réjouissait fort Hérode, chef et caissier de la compagnie. Souvent des personnes de qualité les demandaient pour donner la comédie en leur hôtel, à l'occasion de quelque fête ou régal, à des dames curieuses de voir ces acteurs qui balançaient ceux de l'hôtel de Bourgogne et de la troupe du Marais.

Aussi Hérode ne fut-il pas surpris, accoutumé qu'il était à semblables requêtes, lorsqu'un beau matin, à l'auberge de la rue Dauphine, se présenta une sorte d'intendant ou majordome, d'aspect vénérable comme l'ont ces serviteurs vieillis dans la domesticité des grandes maisons, qui demandait à lui parler de la part de son maître, le comte de Pommereuil, pour affaires de théâtre.

« Vous êtes bien cet Hérode qui gouverne, d'une main aussi ferme que celle d'Apollon, la troupe des Muses, cette excellente compagnie dont la renommée se répand par la ville, et en a déjà dépassé l'enceinte ; car elle est venue jusqu'au fond du domaine que mon maître habite.

167

— C'est moi qui ai cet honneur, répondit Hérode en faisant le salut le plus gracieux que lui permît sa mine rébarbative et tragique.

— Le comte de Pommereuil, reprit le vieillard, désirerait fort, pour divertir des hôtes d'importance, leur offrir la comédie en son château. Il a pensé que nulle troupe mieux que la vôtre ne remplirait ce but, et il m'envoie vous demander s'il vous serait possible d'aller donner une représentation à sa terre, qui n'est distante d'ici que de quelques lieues. Le comte, mon maître, est un seigneur magnifique qui ne regarde pas à la dépense, et à qui rien ne coûtera pour posséder votre illustre compagnie.

— Je ferai tout pour contenter un si galant homme, répondit le Tyran, encore qu'il nous soit difficile de quitter Paris, fût-ce pour quelques jours, au moment le plus vif de notre vogue.

— Trois journées suffiront bien, dit le majordome : une pour le voyage, l'autre pour la représentation, et la dernière pour le retour. Il y a au château un théâtre tout machiné où vous n'aurez qu'à poser vos décorations ; de plus, voici cent pistoles que le comte de Pommereuil m'a chargé de remettre entre vos mains pour les menus frais de déplacement. »

Joignant l'action aux paroles, l'intendant du comte de Pommereuil tira de sa poche une longue et pesante bourse, hydropique de monnaie, la pencha et en fit couler sur la table cent beaux écus neufs de l'éclat le plus engageant.

« Je suis à la disposition de Sa Seigneurie avec tous mes camarades, répondit Hérode ; maintenant désignez-moi le jour où doit avoir lieu la représentation et la pièce que

M. le comte désire, afin que nous emportions les costumes et les accessoires nécessaires.

— Il serait bon, répondit l'intendant, que ce fût jeudi, car l'impatience de mon maître est grande ; quant à la pièce, il en laisse le choix à votre goût et commodité.

— *L'Illusion comique*, dit Hérode, d'un jeune auteur normand qui promet beaucoup, est ce qu'il y a de plus nouveau et de plus couru en ce moment.

— Va pour *l'Illusion comique* : les vers n'en sont point méchants et il y a un rôle de Matamore superbe. »

L'affaire ainsi conclue, le vieillard se retira avec force salutations qu'Hérode lui rendait, et qu'après la courbette du comédien il réitérait en s'inclinant plus bas.

Si Hérode eût suivi du regard l'intendant du comte de Pommereuil jusqu'au bout de la rue, peut-être eût-il remarqué, chose contraire aux lois de la perspective, que sa taille grandissait en raison inverse de l'éloignement. Son dos voûté s'était redressé, le tremblement sénile de ses mains avait disparu, et à la vivacité de son allure il ne semblait du tout si goutteux ; mais Hérode était déjà rentré dans la maison et ne vit rien de tout cela.

Le mercredi matin, comme des garçons d'auberge chargeaient les décorations et paquets sur une charrette attelée de deux forts chevaux et louée par le Tyran pour le transport de la troupe, un grand maraud de laquais en livrée fort propre et chevauchant un bidet percheron se présenta faisant claquer son fouet à la porte de l'auberge, afin de hâter le départ des comédiens et de leur servir de courrier.

Bientôt, car les chevaux étaient frais et marchaient d'un bon pas, l'on atteignit la vieille forteresse dont les défenses gothiques avaient encore bonne apparence, quoiqu'elles ne fussent plus capables de résister aux canons et aux bombardes.

Au sortir du bois une petite côte à monter se présenta. Sigognac dit à Isabelle : « Chère âme, pendant que le coche gravira lentement cette pente, ne vous conviendrait-il point de descendre et de mettre votre bras sur le mien pour faire quelques pas ? »

La jeune comédienne accepta l'offre de Sigognac, et, posant le bout de ses doigts sur la main qu'il lui présentait, elle sauta légèrement à terre. C'était un moyen d'accorder à son amant un innocent tête-à-tête que sa pudeur lui eût refusé dans la solitude d'une chambre fermée. Ils marchaient tantôt presque soulevés par leur amour, et rasant le sol comme des oiseaux, tantôt s'arrêtant à chaque pas pour se contempler et jouir d'être ensemble, côte à côte, les bras enlacés et les regards plongés dans les yeux l'un de l'autre.

La charrette gravissait avec lenteur sur une pente assez roide, et l'on ne voyait au bord du chemin qu'un aveugle accompagné d'un jeune garçon, resté là, sans doute, pour implorer la charité des voyageurs.

Isabelle se sentit touchée à l'aspect de ce groupe pitoyable où se réunissaient les infortunes de la vieillesse et de l'enfance, et elle s'arrêta devant l'aveugle, qui débitait ses patenôtres avec une volubilité toujours croissante accompagné par la voix aiguë de son guide, cherchant dans sa pochette une pièce de monnaie blanche pour la donner au mendiant. Mais elle ne trouva pas sa bourse, et, se retournant vers Sigognac, le pria de lui prêter un teston ou deux, ce à quoi s'accorda bien volontiers le Baron, quoique cet aveugle, avec ses jérémiades, ne lui plût guère. En galant homme, pour éviter à Isabelle d'approcher cette vermine, il s'avança lui-même et mit la pièce en la sébile.

Alors, au lieu de remercier Sigognac de cette aumône, le mendiant si courbé tout à l'heure se redressa, au grand effroi d'Isabelle, et ouvrant les bras, comme un vautour qui, pour prendre l'essor, palpite des ailes, déploya ce grand manteau brun sous lequel il semblait accablé, le ramassa sur son épaule et le lança avec un mouvement pareil à celui des pêcheurs qui jettent l'épervier dans un étang ou une rivière. La lourde étoffe s'étala comme un nuage par-dessus la tête de Sigognac, le coiffa, et retomba pesamment le long de son corps, car les bords en étaient plombés comme ceux d'un filet, lui ôtant du même coup la vue, la respiration, l'usage des mains et des pieds.

La jeune actrice, pétrifiée d'épouvante, voulut crier, fuir, appeler au secours, mais avant qu'elle eût pu tirer un son de sa gorge, elle se sentit enlevée de terre avec une prestesse extrême. Le vieil aveugle devenu, en une minute, jeune et clairvoyant par un miracle plus infernal que céleste, l'avait saisie sous les bras, tandis que le jeune garçon lui soutenait les jambes. Tous deux gardaient le silence et l'emportaient hors du chemin. Ils s'arrêtèrent derrière la masure où attendait un homme masqué monté sur un cheval vigoureux.

Deux autres hommes, également à cheval, masqués, armés jusqu'aux dents, se tenaient derrière un mur qui empêchait qu'on ne les vît de la route prêts à venir en aide au premier, en cas de besoin.

Tout ceci se passa dans un temps moins long que celui nécessaire pour l'écrire. Sigognac se démenait sous le lourd manteau du faux aveugle, comme un rétiaire entortillé par le filet de son adversaire. En deux ou trois coups de dague, il ouvrit sa prison, et, comme un faucon désencapuchonné, parcourant la campagne d'un regard perçant et rapide, il vit les ravisseurs d'Isabelle qui coupaient à travers champs, et semblaient s'efforcer de gagner un petit bouquet de bois non loin de là. Quant à l'aveugle et à l'enfant, ils avaient disparu, s'étant cachés en quelque fossé ou sous quelque broussaille. Mais ce n'était point à ce vil gibier qu'en voulait Sigognac. Jetant son manteau, qui l'eût gêné, il se lança à la poursuite de ces coquins avec une furie désespérée.

Quoique forcené de rage et outré de douleur, il fallut bien que Sigognac s'arrêtât, laissant son Isabelle si chère aux griffes de ce démon, car il ne la pouvait secourir même avec l'aide d'Hérode et de Scapin, qui, au bruit de la pistolade, étaient sautés à bas de la charrette, bien que le maraud de laquais tâchât à les retenir, se doutant de quelque algarade, mésaventure ou guet-apens. En quelques mots brefs et saccadés, Sigognac les mit au courant de l'enlèvement d'Isabelle et de tout ce qui s'était passé.

« Il y a du Vallombreuse là-dessous, dit Hérode ; a-t-il eu vent de notre voyage au château de Pommereuil et nous a-t-il dressé cette embuscade ? ou bien cette comédie pour laquelle j'ai reçu des sommes n'était-elle qu'un stratagème destiné à nous attirer hors de la ville où de semblables coups sont difficiles et dangereux à faire ? Sans perdre plus de temps en paroles, entrons dans le bois et battons-le. Le gibier ne peut pas être encore bien loin. »

En effet, de l'autre côté de la futaie que Sigognac et les comédiens traversèrent, un carrosse à rideaux fermés détalait de toute la vitesse que pouvait donner à quatre chevaux de poste une mousquetade de coups de fouet. Tout ce que purent faire Sigognac et ses camarades, ce fut d'observer la direction que prenait le cortège, bien faible indice pour retrouver Isabelle.

Hérode s'enquit d'une vieille qui cheminait par là, un fagot de bourrée sur sa bosse, si l'on était bien loin encore de Pommereuil : à qui la vieille répondit qu'elle ne connaissait aucune terre, bourg ou château de ce nom, à plusieurs lieues à la ronde, quoiqu'elle eût, en son âge de soixante-dix ans, battu depuis son enfance tout le pays d'alentour, son industrie étant de quémander et chercher sa misérable vie par voies et par chemins.

Il devenait de toute évidence que cette histoire de comédie était un coup monté par des coquins subtils et ténébreux, au profit de quelque grand, qui ne pouvait être que Vallombreuse, amoureux d'Isabelle, car il avait fallu beaucoup de monde et d'argent pour faire jouer cette machination compliquée.

Le chariot retourna vers Paris ; mais Sigognac, Hérode et Scapin restèrent à l'endroit même, ayant intention de louer, à quelque prochain village, des chevaux qui leur permissent de se mettre plus efficacement à la recherche et poursuite des ravisseurs.

Isabelle avait été portée dans une clairière du bois, descendue de cheval et mise en carrosse, bien qu'elle se débattît de son mieux, en moins de trois ou quatre minutes.

La résistance physique ne pouvait servir à rien. Isabelle se réfugia donc dans l'angle du carrosse et demeura silencieuse. Mais des soupirs gonflaient sa poitrine et, de ses beaux yeux, des larmes roulaient sur ses joues pâles, comme des gouttes de pluie sur une rose blanche. Elle ne doutait pas que ce ne fût Vallombreuse l'auteur du coup. La façon menaçante dont il lui avait jeté, du seuil de la porte, ces mots : « Au revoir, mademoiselle », lors de la visite à la rue Dauphine, lui était restée en mémoire, et avec un homme de cette trempe, si furieux en ses désirs, si âpre en ses volontés, cette simple phrase ne présageait rien de bon.

Elle espérait que le courage de Sigognac lui viendrait en aide. Mais cet ami fidèle et vaillant parviendrait-il à la découvrir opportunément en la retraite absconse où ses ravisseurs la conduisaient ? « En tout cas, se dit-elle, si ce méchant duc me veut affronter, j'ai dans ma gorge le couteau de Chiquita, et je sacrifierai ma vie à mon honneur. » Cette résolution prise lui rendit un peu de tranquillité.

En sonnant sur les poutres ferrées d'un pont-levis, les roues du carrosse avertirent Isabelle qu'on était arrivé au terme de la course. En effet, la voiture s'arrêta, la portière s'ouvrit et l'homme masqué offrit la main à la jeune comédienne pour descendre.

Elle jeta un coup d'œil autour d'elle et vit une grande cour carrée formée par quatre corps de logis en briques, dont le temps avait changé la couleur vermeille en une teinte sombre assez lugubre.

Bien que frappé de cette tristesse qu'imprime aux habitations l'absence du maître, le château inconnu avait encore fort bon air et sentait sa seigneurie. Il était désert, mais non abandonné et nul symptôme de ruine ne s'y faisait remarquer. Le corps était intact, l'âme seule y manquait.

L'homme masqué remit Isabelle aux mains d'une sorte de laquais en livrée grise. Ce laquais la conduisit, par un vaste escalier dont la rampe très ouvragée se tordait en ces enroulements et arabesques de serrurerie de mode sous l'autre règne, à un appartement qui avait dû jadis sembler le *nec plus ultra* du luxe, et dont la richesse fanée valait bien les élégances modernes.

Un grand feu, montrant que la jeune comédienne était attendue, brûlait dans la cheminée, vaste monument tout chargé de volutes, consoles, guirlandes et ornements d'une richesse un peu lourde, au milieu desquels était enchâssé un portrait d'homme dont l'expression frappa beaucoup Isabelle. Cette figure ne lui était pas inconnue ; il lui semblait se la rappeler comme au réveil une de ces formes aperçues en rêve et qui, ne s'évanouissant pas avec le songe, vous suivent longtemps dans la vie. C'était une tête pâle aux yeux noirs, aux lèvres vermeilles, aux cheveux bruns, accusant une quarantaine d'années et d'une fierté pleine de noblesse. Une cuirasse d'acier bruni, rayée de rubans d'or niellés et traversée d'une écharpe blanche, recouvrait la poitrine. Malgré les préoccupations et les terreurs bien légitimes que lui inspirait sa situation, Isabelle ne pouvait s'empêcher de regarder ce portrait et d'y reporter ses yeux comme fascinée. Il y avait dans cette figure quelque ressemblance avec celle de Vallombreuse ; mais l'expression en était si différence que ce rapport disparaissait bientôt.

Tandis qu'Isabelle tremblait de frayeur dans son appartement solitaire, ses ravisseurs, en une salle basse, faisaient carousse et chère lie, car ils devaient rester au château comme une sorte de garnison, en cas d'attaque de la part de Sigognac. Ils buvaient tous comme des éponges, mais un d'eux surtout déployait une remarquable puissance d'ingurgitation. C'était l'homme qui avait emporté Isabelle en travers de son cheval, et comme il avait déposé son masque il était loisible à chacun de contempler sa face blême comme un fromage où flambait un nez chauffé au rouge. A ce nez couleur de guigne, on a reconnu Malartic, l'ami de Lampourde.

XVI

VALLOMBREUSE

Isabelle, restée seule dans cette chambre inconnue où le péril pouvait surgir d'un moment à l'autre sous une forme mystérieuse, se sentait le cœur oppressé d'une inexprimable angoisse, quoique sa vie errante l'eût rendue plus courageuse que ne le sont ordinairement les femmes. Bientôt son malaise devint si fort qu'elle se résolut à quitter cette chambre si éclairée, si chaude et si commode pour s'aventurer par les corridors du château, au risque de quelque rencontre fantasmatique, à la recherche de quelque issue oubliée ou de quelque lieu de refuge.

Mais quel ne fut pas son effroi lorsque du seuil de sa chambre elle aperçut une figure étrange assise au coin de sa cheminée. Ce n'était pas un fantôme assurément, car la lumière des bougies et le reflet du foyer l'éclairaient d'une façon trop nette pour qu'on pût s'y méprendre; c'était bien un corps grêle et délicat, il est vrai, mais très vivant ainsi que l'attestaient deux grands yeux noirs d'un éclat sauvage, et n'ayant nullement le regard atone des spectres, qui se fixaient sur Isabelle, encadrée dans le chambranle de la porte, avec une tranquillité fascinante.

Par l'interstice d'une grossière chemise de toile brillaient vaguement quelques grains d'un collier en perles.

A ce détail du collier, on a sans doute reconnu Chiquita. C'était elle en effet, non pas sous son costume de fille, mais encore travestie en garçon, déguisement qu'elle avait pris pour jouer le conducteur du faux aveugle.

« As-tu toujours le couteau, dit cette singulière créature à Isabelle lorsqu'elle se fut approchée de la cheminée, le couteau à trois raies rouges ?

— Oui, Chiquita, répondit la jeune femme, je le porte là, entre ma chemisette et mon corsage. Mais pourquoi cette question, ma vie est-elle donc en péril ?

— Un couteau, dit la petite dont les yeux brillèrent d'un éclat féroce, un couteau est un ami fidèle ; il ne trahit pas son maître, si son maître le fait boire ; car le couteau a soif.

— Pourquoi me dis-tu tout cela ? fit la comédienne toute pâle.

— Pour rien ; qui veut se défendre prépare ses armes, voilà tout. »

Isabelle était la seule créature humaine qui, après Agostin, lui eût témoigné de la sympathie. Elle tenait d'elle le premier bijou dont se fût parée sa coquetterie enfantine, et, trop jeune encore pour être jalouse, elle admirait naïvement la beauté de la jeune comédienne. Ce doux visage exerçait une séduction sur elle, qui n'avait vu jusqu'alors que des mines hagardes et féroces exprimant des pensées de rapine, de révolte et de meurtre.

« Comment se fait-il que tu sois ici ? lui dit Isabelle après un moment de silence. As-tu pour charge de me garder ?

— Non, répondit Chiquita ; je suis venue toute seule où la lumière et le feu m'ont guidée. Cela m'ennuyait de rester dans un coin pendant que ces hommes buvaient bouteille sur bouteille. J'aime mieux, continua la petite, rester là, près du feu, à côté de toi. Tu es belle, et cela me plaît de te voir ; tu ressembles à la bonne Vierge que j'ai vue briller sur l'autel. Comme ta main est blanche ! la mienne posée dessus a l'air d'une patte de singe. Tes cheveux sont fins comme de la soie ; ma tignasse se hérisse comme une broussaille. Oh ! je suis bien laide, n'est-ce pas ?

— Non, chère petite, répondit Isabelle, que cette admiration naïve touchait malgré elle, tu as ta beauté aussi ; il ne te manque que d'être un peu accommodée pour valoir les plus jolies filles.

— Tu crois : pour être brave, je volerai de beaux habits, et alors Agostin m'aimera. »

Cette idée illumina d'une lueur rose le visage fauve de l'enfant, et, pendant quelques minutes, elle demeura comme perdue dans une rêverie délicieuse et profonde.

« Sais-tu où nous sommes ? reprit Isabelle, lorsque Chiquita releva ses paupières frangées de longs cils noirs qu'elle avait tenues un instant abaissées.

— Dans un château appartenant au seigneur qui a tant d'argent, et qui voulait déjà te faire enlever à Poitiers. Je n'avais qu'à tirer le verrou, c'était fait. Mais tu m'avais donné le collier de perles, et je ne voulais pas te causer de la peine.

— Pourtant, cette fois, tu as aidé à m'emporter, dit Isabelle ; tu ne m'aimes donc plus, que tu me livres à mes ennemis ?

— Agostin avait commandé ; il fallait obéir. D'ailleurs un autre aurait fait le conducteur de l'aveugle, et je ne serais pas entrée au château avec toi. Ici, je puis te servir peut-être à quelque chose. Je suis courageuse, agile et forte, quoique petite, et je ne veux pas qu'on te fasse mal.

— Est-ce bien loin de Paris, ce château où l'on me tient prisonnière, dit la jeune femme en attirant Chiquita entre ses genoux; en as-tu entendu prononcer le nom par quelqu'un de ces hommes?

— Je crois que c'est Vallombreuse, répondit Chiquita, syllabe par syllabe comme si elle écoutait un écho intérieur. Oui, Vallombreuse, j'en suis sûre maintenant; le nom même du seigneur que ton ami le capitaine Fracasse a blessé en duel. Il aurait mieux fait de le tuer. Ce duc est très méchant, quoiqu'il jette l'or à poignées comme un semeur le grain. Tu le hais, n'est-ce pas? et tu serais bien contente si tu parvenais à lui échapper.

— Oh! oui; mais c'est impossible, dit la jeune comédienne; un fossé profond entoure le château; le pont-levis est ramené. Toute évasion est impraticable.

— Chiquita se rit des grilles, des serrures, des murailles et des douves; Chiquita peut sortir à son gré de la prison la mieux close et s'envoler dans la lune aux yeux du geôlier ébahi. Si elle veut, avant que le soleil se lève, le Capitaine saura où est cachée celle qu'il cherche. »

En face de la fenêtre, de l'autre côté de la douve, se dressait un grand arbre plusieurs fois centenaire, dont les maîtresses branches s'étendaient presque horizontalement moitié sur la terre, moitié sur l'eau du fossé; mais il s'en fallait de huit ou dix pieds que l'extrémité du plus long branchage atteignît la muraille. C'était sur cet arbre qu'était basé le projet d'évasion de Chiquita. Elle rentra dans la chambre, elle tira d'une de ses poches une cordelette de crin, très fine, très serrée, mesurant de sept à huit brasses, la déroula méthodiquement sur le parquet; tira de son autre poche une sorte d'hameçon de fer qu'elle accrocha à la corde ; puis elle s'approcha de la fenêtre et lança le crochet dans les branches de l'arbre. La première fois l'ongle de fer ne mordit pas et retomba avec la corde en sonnant sur les pierres du mur. A la seconde tentative, la griffe de l'hameçon piqua l'écorce et Chiquita tira la corde à elle, en priant Isabelle de s'y suspendre de tout son poids. La branche accrochée céda autant que la flexibilité du tronc le permettait, et se rapprocha de la croisée de cinq ou six pieds. Alors Chiquita fixa la cordelette après la serrurerie du balcon par un nœud qui ne pouvait glisser et, soulevant son corps frêle avec une agilité singulière, elle se pendit des mains au cordage, et par des déplacements de poignets eut bientôt gagné la branche qu'elle enfourcha dès qu'elle la sentit solide.

« Défais maintenant le nœud de la corde que je la retire à moi, dit-elle à la prisonnière d'une voix basse mais distincte, à moins que tu n'aies envie de me suivre, mais la peur te serrerait le col, et le vertige te tirerait par les pieds pour te faire tomber dans l'eau. Adieu ! je vais à Paris et je serai bientôt de retour. On marche vite au clair de lune. »

Isabelle obéit, et l'arbre, n'étant plus maintenu, reprit sa position ordinaire, reportant Chiquita à l'autre bord du fossé. En moins d'une minute, s'aidant des genoux et des mains, elle se trouva au bas du tronc, sur la terre ferme, et bientôt la captive la vit s'éloigner d'un pas rapide et se perdre dans les ombres bleuâtres de la nuit.

Après un sommeil traversé de rêves bizarres où tantôt elle voyait Chiquita courir en agitant ses bras comme des ailes devant le capitaine Fracasse à cheval, tantôt le duc de Vallombreuse avec des yeux flamboyants pleins de haine et d'amour, Isabelle s'éveilla et fut surprise du temps qu'elle avait dormi.

Ce fut pour la jeune femme un grand soulagement que le retour de la lumière. Sa position, sans doute, n'en valait guère mieux ; mais le danger n'était plus grossi de ces terreurs fantastiques que la nuit et l'inconnu apportent aux esprits les plus fermes. Pourtant sa joie ne fut pas de longue durée, car un grincement de chaînes se fit entendre ; le pont-levis s'abaissa : le roulement d'un carrosse mené d'un grand train retentit sur le plateau du tablier, gronda sous la voûte comme un tonnerre sourd et s'éteignit dans la cour intérieure.

Qui pouvait entrer de cette façon altière et magistrale si ce n'est le seigneur du lieu, le duc de Vallombreuse lui-même ? Isabelle sentit à ce mouvement qui avertit la colombe de la présence du vautour, bien qu'elle ne le voie pas encore, que c'était bien l'ennemi et non un autre.

Mais bientôt, faisant effort sur elle-même, cette courageuse fille rappela ses esprits et se prépara pour la défense. « Pourvu, se disait-elle, que Chiquita arrive à temps et m'amène du secours ! » et ses yeux involontairement se tournaient vers le médaillon placé au-dessus de la cheminée : « O toi, qui as l'air si noble et si bon, protège-moi contre l'insolence et la perversité de ta race. Ne permets pas que ces lieux où rayonne ton image soient témoins de mon déshonneur ! »

Isabelle s'était levée à demi de son fauteuil, où l'émotion la fit retomber couverte d'une mortelle pâleur. Vallombreuse s'avança vers elle, chapeau bas, dans l'attitude du plus profond respect. Comme il la vit tressaillir à son approche, il s'arrêta au milieu de la chambre, salua la jeune comédienne, et lui dit de cette voix qu'il savait rendre si douce pour séduire :

« Si ma présence est trop odieuse maintenant à la charmante Isabelle, et qu'elle ait besoin de quelque temps pour s'habituer à l'idée de me voir, je me retirerai. Elle est ma prisonnière, mais je n'en suis pas moins son esclave.

— Cette courtoisie vient tard, répondit Isabelle, après la violence que vous avez exercée contre moi.

— Voilà ce que c'est, reprit le duc, que de pousser les gens à bout par une vertu trop farouche. N'ayant plus d'espoir, ils se portent aux dernières extrémités, sachant qu'ils ne peuvent empirer leur situation. Si vous aviez bien voulu souffrir que je vous fisse ma cour, et montrer quelque complaisance à ma flamme, je serais resté parmi les rangs de vos adorateurs, essayant, à force de galanteries délicates, de magnificences amoureuses, de dévouements chevaleresques, de passion ardente et contenue, d'attendrir lentement ce cœur rebelle.

— Vous auriez un moyen de reconquérir mon estime et de gagner mon amitié. Rendez-moi noblement la liberté que vous m'avez prise. Faites-moi reconduire par un carrosse à mes compagnons inquiets qui ne savent ce que je suis devenue et me cherchent éperdument, avec transes mortelles. Laissez-moi reprendre mon humble vie de comédienne avant que cette aventure, dont mon honneur pourrait souffrir, ne s'ébruite parmi le public étonné de mon absence.

— C'est impossible ! Je sais que vous m'aimez si peu que je n'ai d'autre ressource pour vous voir que de vous enfermer. Quoi qu'il en coûte à mon orgueil, je l'emploie ; car je ne peux pas plus me passer de votre présence qu'une plante de la lumière. Quelque chose de moi s'insinue malgré vous dans votre âme ; j'agis sur vous, ne fût-ce que par l'effroi que je vous cause, et le bruit de mon pas dans l'antichambre vous fait tressaillir. Et puis, cette captivité vous sépare de celui que vous regrettez et que j'abhorre pour avoir détourné ce cœur qui eût été mien. Ma jalousie satisfaite se résout à ce mince bonheur et ne veut point le jouer en vous rendant cette liberté dont vous feriez usage contre moi. »

Une demi-heure après, un laquais apportait un bouquet, assemblage des fleurs les plus rares, mêlant leurs couleurs et leurs parfums. Parmi les fleurs, un papier blanc plié en deux attirait l'œil.

Ce papier était un billet de Vallombreuse conçu en ces termes et tracé d'une écriture hardie congruant au caractère du personnage. La prisonnière y reconnut la main qui avait écrit « pour Isabelle » sur la cassette à bijoux dans sa chambre à Poitiers :

Chère Isabelle,

Je vous envoie ces fleurs quoique je sois certain qu'elles seront mal accueillies. Venant de moi, leur fraîcheur et nouveauté ne trouveront pas grâce devant vos rigueurs nonpareilles. Mais, quel que soit leur sort, et ne vous occupiezvous d'elles que pour les jeter par la fenêtre en signe de grand dédain, elles obligeront, par la colère même, votre pensée à s'arrêter un instant, ne fût-ce que pour le maudire, sur celui qui se déclare, en dépit de tout, votre opiniâtre adorateur.

VALLOMBREUSE.

Ce billet, d'une galanterie précieuse mais qui révélait chez celui qui l'avait écrit une ténacité formidable, et que rien ne saurait rebuter, produisit en partie l'effet que le

184

duc s'en était promis. Isabelle le tenait à la main d'un air morne, et la figure de Vallombreuse se présentait à son esprit sous une apparence diabolique. Les parfums des fleurs, la plupart étrangères, posées près d'elle, sur le guéridon, où le laquais les avait mises, se développaient à la chaleur de la chambre, et leurs arômes exotiques s'épandaient puissants et vertigineux. Isabelle les prit et les jeta dans l'antichambre, sans retirer le bracelet de diamants qui entourait les queues, craignant qu'elles ne fussent imprégnées de quelque philtre subtil, narcotique ou aphrodisiaque, propre à troubler la raison.

L'esprit un peu plus tranquille, la prisonnière se mit à songer au courage de Sigognac, qui s'était si vaillamment conduit, et l'eût arrachée aux ravisseurs, quoique seul, s'il n'eût perdu quelques minutes à se désencapuchonner du manteau jeté par le traître aveugle. Il devait être prévenu maintenant, et nul doute qu'il n'accourût à la défense de celle qu'il aimait plus que sa vie. A l'idée des dangers auxquels il allait s'exposer en cette entreprise périlleuse, car le duc n'était pas homme à lâcher sa proie sans résistance, le sein d'Isabelle se gonfla d'un soupir et une larme monta de son cœur à ses yeux.

Elle en était là de sa rêverie, lorsqu'un petit coup sec vint à sonner contre la fenêtre dont un carreau s'étoila, comme s'il eût été frappé d'un grêlon. Isabelle s'approcha de la croisée, et vit dans l'arbre en face Chiquita, qui lui faisait mystérieusement signe d'ouvrir la fenêtre, et balançait la cordelette munie, à son extrémité, d'une griffe de fer. La comédienne prisonnière comprit l'intention de l'enfant, obéit à son geste, et le crampon, lancé d'une main sûre, vint mordre l'appui du balcon.

« Chère petite, dit Isabelle en baisant Chiquita au front, tu es une brave et courageuse enfant.

— J'ai vu tes amis, ils t'avaient bien cherchée ; mais, sans Chiquita, ils n'auraient jamais découvert ta retraite. Le Capitaine allait et venait comme un lion ; sa tête fumait, ses yeux lançaient des éclairs. Il m'a posée sur l'arçon de sa selle, et il est caché dans un petit bois non loin du château avec ses camarades. Il ne faut pas qu'on les voie. Ce soir, dès que l'ombre sera tombée, ils tenteront ta délivrance ; il y aura des coups d'épée et de pistolet. Ce sera superbe. Surtout, ne regarde point par la fenêtre, cela inspirerait des soupçons et montrerait peut-être que tu attends du secours de ce côté. Alors on ferait une battue autour du château et l'on découvrirait tes amis. Le coup serait manqué et tu resterais au pouvoir de ce Vallombreuse que tu détestes.

— Je n'approcherai pas de la croisée, répondit Isabelle, je te le promets, quelque curiosité qui me pousse. »

Rassurée sur ce point important, Chiquita disparut et alla rejoindre dans la salle basse les spadassins, qui, noyés de boisson, appesantis par un sommeil bestial, ne s'étaient même pas aperçus de son absence. Elle s'adossa contre le mur, joignit les mains sur sa poitrine, ce qui était sa position favorite, ferma les yeux et ne tarda pas à s'endormir ; car ses petits pieds de biche avaient fait plus de huit lieues la nuit précédente, entre Vallombreuse et Paris.

Restée seule, Isabelle ouvrit un volume de *l'Astrée*, par le sieur Honoré d'Urfé, qui traînait oublié sur une console. Elle essaya d'attacher sa pensée à cette lecture. Mais ses yeux seuls suivaient machinalement les lignes. L'esprit s'envolait loin des pages, et ne s'associait pas un instant à ces bergerades déjà surannées. D'ennui, elle jeta le volume et se croisa les bras dans l'attente des événements.

Le soir était venu. Les laquais allumèrent les bougies, et bientôt le majordome parut annonçant la visite du duc de Vallombreuse. Il entra sur les pas du valet et salua sa captive avec la plus parfaite courtoisie. Il était vraiment d'une beauté et d'une élégance suprêmes. Son visage charmant devait inspirer l'amour à tout cœur non prévenu. Une veste de satin gris de perle, un haut-de-chausses de velours incarnadin, des bottes à entonnoir en cuir blanc remplies de dentelles, une écharpe de brocart d'argent soutenant une épée à pommeau de pierreries faisaient merveilleusement ressortir les avantages de sa personne, et il fallait toute la vertu et constance d'Isabelle pour ne point en être touché.

« Je viens voir, adorable Isabelle, dit-il en s'asseyant dans un fauteuil près de la jeune femme, si je serai mieux reçu que mon bouquet ; je n'ai pas la fatuité de le croire, mais je veux vous habituer à moi. Demain, nouveau bouquet et nouvelle visite.

— Bouquets et visites seront inutiles, répondit Isabelle, il en coûte à ma politesse de le dire, mais ma sincérité ne doit vous laisser aucun espoir.

— Eh bien, fit le duc avec un geste d'insouciance hautaine, je me passerai de l'espoir et me contenterai de la réalité. Vous ne savez donc pas, pauvre enfant, ce que c'est que Vallombreuse, vous qui essayez de lui résister. Jamais désir inassouvi n'est rentré dans son âme ; il marche à ce qu'il veut sans que rien le puisse fléchir ou détourner : ni larmes, ni supplications, ni cris, ni cadavres jetés en travers, ni ruines fumantes ; l'écroulement de l'univers ne l'étonnerait pas, et sur les débris du monde il accomplirait son caprice. »

Pendant qu'il parlait avec cet entraînement chaleureux qui enivre la raison des femmes et fait céder leurs pudeurs, mais qui n'avait cette fois aucune action, Isabelle, attentive à la moindre rumeur du dehors d'où lui devait venir la délivrance, croyait entendre un petit bruit presque imperceptible arrivant de l'autre bord du fossé. Il était sourd et rythmique comme le froissement d'un travail régulier dirigé avec précaution contre quelque obstacle. Craignant que Vallombreuse ne le remarquât, la jeune femme répondit de manière à blesser la fatuité orgueilleuse du jeune duc. Elle l'aimait mieux irrité qu'amoureux, et préférait ses éclats à ses tendresses. Elle espérait d'ailleurs, en le querellant, l'empêcher d'entendre.

Au même instant, un craquement se fit entendre, suivi bientôt d'un fracas horrible ; la fenêtre, comme si elle eût reçu par-dehors le coup de genou d'un géant, tomba avec un tintamarre de carreaux pulvérisés dans la chambre, où pénétrèrent des masses de branches formant une sorte de catapulte chevelue et de pont volant.

C'était la cime de l'arbre qui avait favorisé la sortie et la rentrée de Chiquita. Le tronc, scié par Sigognac et ses camarades, cédait aux lois de la pesanteur. Sa chute avait été dirigée de manière à jeter un trait d'union au-dessus de l'eau de la berge à la fenêtre d'Isabelle.

Vallombreuse, surpris de l'irruption soudaine de cet arbre se mêlant à une scène d'amour, lâcha la jeune actrice et mit l'épée à la main, prêt à recevoir le premier qui se présenterait à l'assaut.

Chiquita, qui était entrée sur la pointe du pied, légère

comme une ombre, tira Isabelle par la manche, et lui dit : « Abrite-toi derrière ce meuble, la danse va commencer. »

La petite disait vrai, deux ou trois coups de feu retentirent dans le silence de la nuit. La garnison avait éventé l'attaque.

XVII

LA BAGUE D'AMÉTHYSTE

Montant les degrés quatre à quatre, Malartic, Bringuena-rilles, Piedgris et Tordgueule accoururent dans la chambre d'Isabelle pour soutenir l'assaut et porter aide à Vallom-breuse, tandis que La Râpée, Mérindol et les bretteurs ordinaires du duc, qu'il avait amenés avec lui, traversaient le fossé dans la barque afin d'opérer une sortie et de prendre l'ennemi en queue. Stratégie savante et digne d'un bon général d'armée !

La cime de l'arbre obstruait la fenêtre, d'ailleurs assez étroite, et ses branches s'étendaient presque jusqu'au milieu de la chambre ; on ne pouvait donc présenter aux assaillants un assez large front de bataille. Malartic se rangea avec Piedgris d'un côté contre la muraille, et fit mettre de l'autre côté Tordgueule et Bringuenarilles pour qu'ils n'eussent pas à supporter la première furie de l'attaque et fussent plus à leur avantage.

Un bruit de branches froissées se fit entendre, et une forte voix qui semblait venir du ciel jeta dans la chambre ces mots : « Me voici ! » et avec la vitesse de l'éclair, une ombre noire passa entre les quatre bretteurs, poussée d'un tel élan qu'elle était déjà au milieu de la pièce lorsque quatre détonations de pistolets éclatèrent presque simultanément. Des nuages de fumée se répandirent en épais flocons qui cachèrent quelques secondes le résultat de ce feu quadruple ; quand ils furent un peu dissipés, les bretteurs virent Sigognac, ou pour mieux dire le capitaine Fracasse, car ils ne le connaissaient que sous ce nom, debout, l'épée au poing et sans autre blessure que la plume de son feutre coupée, les batteries à rouet des pistolets n'ayant pu partir assez vite pour que les balles l'atteignissent en ce passage aussi inattendu que rapide.

Mais Isabelle et Vallombreuse n'étaient plus là. Le duc avait profité du tumulte pour emporter sa proie à moitié évanouie. Une porte solide, un verrou poussé s'interposaient entre la pauvre comédienne et son généreux défenseur, déjà bien empêché par cette bande qu'il avait sur les bras. Heureusement, vive et souple comme une couleuvre, Chiquita, dans l'espérance d'être utile à Isabelle, s'était glissée par l'entrebâillement de la porte sur les pas du duc, qui, en ce désordre d'une action violente, au milieu de ces bruits d'armes à feu, ne prit pas garde à elle, d'autant plus qu'elle se dissimula bien vite dans un angle obscur de cette vaste salle, assez faiblement éclairée par une lampe posée sur une crédence.

Pendant que ceci se passait, Sigognac s'escrimait contre Malartic avec la furie froide d'un homme qui peut mettre une profonde science au service d'un grand courage. Il parait toutes les bottes du spadassin, et déjà il lui avait effleuré le bras, comme le témoignait une rougeur subite à la manche de Malartic. Celui-ci, sentant que si le combat se prolongeait il était perdu, résolut de tenter un suprême effort, et il se fendit à fond pour allonger un coup droit à Sigognac. Les deux fers se froissèrent d'un mouvement si rapide et si sec que le choc en fit jaillir des étincelles ; mais l'épée du Baron, vissée à un poing de bronze, reconduisit en dehors l'épée gauchie du bretteur.

Malartic se releva ; mais, avant qu'il se fût remis sur la défensive, Sigognac lui fit sauter la rapière de la main, posa le pied dessus, et lui portant la lame à la gorge, lui cria : « Rendez-vous, ou vous êtes mort ! »

A ce moment critique, un grand corps, brisant les menues branches, fit son entrée au milieu de la bataille, et le nouveau venu, avisant la situation perplexe de Malartic, lui dit d'un ton d'autorité : « Tu peux te soumettre, sans déshonneur, à ce vaillant ; il a ta vie au bout de son épée. Tu as loyalement fait ton devoir ; considère-toi comme prisonnier de guerre. »

Puis se tournant vers Sigognac : « Fiez-vous à sa parole, dit-il, c'est un galant homme à sa manière et il n'entreprendra rien sur vous désormais. »

Malartic fit un signe d'acquiescement, et le Baron baissa la pointe de sa formidable rapière. Quant au bretteur, il ramassa son arme d'un air assez piteux, la remit au fourreau, et alla s'asseoir silencieusement sur un fauteuil où il serra de son mouchoir son bras dont la tache rouge s'élargissait.

Si l'on s'étonne de voir Lampourde au nombre des assiégeants, nous répondrons que le bretteur s'était pris d'une admiration fanatique à l'endroit de Sigognac, dont la belle méthode l'avait tant charmé dans sa rencontre avec lui sur le Pont-Neuf, et qu'il avait mis ses services à la disposition du Capitaine ; services qui n'étaient pas à dédaigner en ces circonstances difficiles et périlleuses. Il arrivait d'ailleurs souvent que dans ces entreprises hasardeuses des camarades soldés par des intérêts divers se rencontrassent la flamberge ou la dague au vent, mais cela ne faisait point scrupule.

On n'a pas oublié que La Râpée, Agostin, Mérindol Azolan et Labriche, franchissant le fossé dans la barque dès le commencement de l'attaque, étaient sortis du château pour opérer une diversion et tomber sur les derrières de l'ennemi.

Pour ne se point gêner les mains occupées à l'escalade, Mérindol, le chef d'attaque, portait son couteau entre les dents, ce qui à travers l'ombre lui donnait l'air d'avoir de prodigieuses moustaches. Hérode avec sa forte main lui saisit le col, et lui serra la gorge de telle sorte que Mérindol, étranglé comme s'il eût la tête passée dans le nœud de la hart, ouvrit le bec afin de reprendre son vent et laissa choir son couteau, qui tomba au fossé. Comme la pression à la gorge continuait, ses genoux se desserrèrent, ses bras flottants firent quelques mouvements convulsifs ; et bientôt le bruit d'une lourde chute résonna dans l'ombre, et l'eau du fossé rejaillit en gouttes jusque sous les pieds d'Hérode.

La victoire semblait restée aux assaillants, Bringuenarilles, Tordgueule et Piedgris gisaient sur le plancher comme veaux sur la paille. Malartic, le chef de la bande, avait été désarmé. Mais en réalité les vainqueurs étaient captifs. La porte de la chambre, fermée en dehors, s'interposait entre eux et l'objet de leur recherche, et cette porte, d'un chêne épais, historiée d'élégantes ferrures en acier poli, pouvait devenir un obstacle infranchissable à des gens qui ne possédaient ni haches ni pinces pour l'enfoncer. Sigognac, Lampourde et Scapin appuyant l'épaule contre les battants s'efforçaient de la faire céder, mais elle tenait bon et leurs vigueurs réunies y mollissaient.

« Si nous y mettions le feu, dit Sigognac, qui se déses-pérait, il y a des bûches enflammées dans l'âtre.

– Ce serait bien long, répondit Lampourde ; le cœur de chêne brûle malaisément ; prenons plutôt ce bahut et nous en faisons une sorte de catapulte ou bélier propre à effon-drer cette barrière trop importune. »

Le Baron enrageait, car il savait que Vallombreuse avait quitté la chambre emportant Isabelle, malgré la résistance désespérée de la jeune fille.

Tout à coup un grand bruit se fit entendre. Les bran-chages qui obstruaient la fenêtre avaient disparu et l'arbre tombait dans l'eau du fossé avec un fracas auquel se mêlaient des cris humains, ceux du portier de comé-die qui s'était arrêté dans son ascension, la branche étant devenue trop faible pour le supporter. Azolan, Agostin et Basque avaient eu cette triomphante idée de pousser l'arbre à l'eau afin de couper la retraite aux assiégeants.

« Si nous ne jetons bas cette porte, dit Lampourde, nous sommes pris comme rats au piège. Au diable soient les ouvriers du temps jadis qui travaillaient de façon si durable ! Je vais essayer de découper le bois autour de la serrure avec mon poignard pour la faire sauter, puisqu'elle tient si fort ! »

Lampourde allait se mettre à l'œuvre, quand un léger grincement pareil à celui d'une clef qui tourne résonna dans la serrure, et la porte inutilement attaquée s'ouvrit d'elle-même.

« Quel est le bon ange, s'écria Sigognac, qui vient de la sorte à notre secours ! et par quel miracle cette porte cède-t-elle toute seule après avoir tant résisté ?

– Il n'y a ni ange ni miracle, répondit Chiquita en sortant de derrière la porte et fixant sur le Baron son regard mystérieux et tranquille.

– Où est Isabelle ? » cria Sigognac, parcourant de l'œil la salle faiblement éclairée par la lueur vacillante d'une petite lampe.

Il ne l'aperçut point d'abord. Le duc de Vallombreuse, surpris par la brusque ouverture des battants, s'était acculé dans un angle, plaçant derrière lui la jeune comédienne à demi pâmée d'épouvante et de fatigue ; elle s'était affaissée sur ses genoux, la tête appuyée à la muraille, les cheveux dénoués et flottants, les vêtements en désordre, les ferrets de son corsage brisés tant elle s'était désespérément tordue entre les bras de son ravisseur, qui, sentant sa proie lui échapper, avait essayé vainement de lui dérober quelques baisers lascifs, comme un faune poursuivi entraînant une jeune vierge au fond des bois.

« Elle est ici, dit Chiquita, dans ce coin, derrière le seigneur Vallombreuse ; mais, pour avoir la femme, il faut tuer l'homme.

– Qu'à cela ne tienne, je le tuerai, fit Sigognac en s'avançant l'épée droite vers le jeune duc déjà tombé en garde.

– C'est ce que nous verrons, monsieur le capitaine Fracasse, chevalier de bohémiennes », répondit le jeune duc d'un air de parfait dédain.

Les fers étaient engagés et se suivaient en tournant autour l'un et l'autre avec cette lenteur prudente qu'apportent aux luttes qui doivent être mortelles les habiles de l'escrime. Vallombreuse n'était pas d'une force égale à celle de Sigognac ; mais il avait, comme il convenait à un homme de sa qualité, fréquenté longtemps les académies, mouillé plus d'une chemise aux salles d'armes, et travaillé sous les meilleurs maîtres.

Sachant combien son adversaire était redoutable, le jeune duc se renfermait dans la défensive, parait les coups et n'en portait point. Il espérait lasser Sigognac déjà fatigué par l'attaque du château et son duel avec Malartic, car il avait entendu le bruit des épées à travers la porte. Cependant, tout en déjouant le fer du Baron, de sa main gauche il cherchait sur sa poitrine un petit sifflet d'argent suspendu à une chaînette. Quand il l'eut trouvé, il le porta à ses lèvres et en tira un son aigu et prolongé. Ce mouvement pensa lui coûter cher ; l'épée du Baron faillit lui clouer la main sur la bouche ; mais la pointe, relevée par une riposte un peu tardive, ne fit que lui égratigner le pouce. Vallombreuse reprit sa garde.

Au même instant un bruit tumultueux de pas qui s'approchaient se fit entendre. Un panneau de la boiserie s'ouvrit avec fracas, et cinq ou six laquais armés se précipitèrent impétueusement dans la salle.

« Emportez cette femme, leur cria Vallombreuse, et chargez-moi ces drôles. Je fais mon affaire du Capitaine » ; et il courut sur lui l'épée haute.

L'irruption de ces marauds surprit Sigognac. Il serra un peu moins sa garde ; car il suivait des yeux Isabelle tout à fait évanouie que deux laquais, protégés par le duc, entraînaient vers l'escalier, et l'épée de Vallombreuse lui effleura le poignet. Rappelé au sentiment de la situation par cette éraflure, il porta au duc une botte à fond qui l'atteignit au-dessus de la clavicule et le fit chanceler.

Cependant Lampourde et Scapin recevaient les laquais de la belle manière ; Lampourde les lardait de sa longue rapière comme des rats, et Scapin leur martelait la tête avec la crosse d'un pistolet qu'il avait ramassé. Voyant leur maître blessé qui s'adossait au mur et s'appuyait sur la garde de son épée, la figure couverte d'une pâleur blafarde, ces misérables canailles, lâches d'âme et de courage, abandonnèrent la partie et gagnèrent au pied. Il est vrai que Vallombreuse n'était point aimé de ses domestiques, qu'il traitait en tyran plutôt qu'en maître, et brutalisait avec une férocité fantasque.

« A moi, coquins ! à moi, soupira-t-il, d'une voix faible. Laisserez-vous ainsi votre duc sans aide et sans secours ? »

Pendant que ces incidents se passaient, Hérode montait d'un pas aussi leste que sa corpulence le permettait le grand escalier, éclairé, depuis l'arrivée de Vallombreuse au château, d'une grande lanterne fort ouvragée et suspendue à un câble de soie. Il arriva au palier du premier étage, au moment même où Isabelle, échevelée, pâle, sans mouvement, était emportée comme une morte par les laquais. Il crut que pour sa résistance vertueuse le jeune duc l'avait tuée ou fait tuer, et, sa furie s'exaspérant à cette idée, il tomba à grands coups d'épée sur les marauds, qui, surpris de cette agression subite dont ils ne pouvaient se défendre, ayant les mains empêchées, lâchèrent leur proie et détalèrent comme s'ils eussent eu le diable à leurs trousses. Hérode, se penchant, releva Isabelle, lui appuya la tête sur son genou, lui posa la main sur le cœur et s'assura qu'il battait encore. Il vit qu'elle ne paraissait avoir aucune blessure et commençait a soupirer faiblement comme une personne à qui revient peu à peu le sentiment de l'existence.

En cette posture, il fut bientôt rejoint par Sigognac, qui s'était débarrassé de Vallombreuse en lui allongeant ce furieux coup de pointe fort admiré de Lampourde. Le Baron s'agenouilla près de son amie, lui prit les mains et, d'une voix qu'Isabelle entendait vaguement comme du fond d'un rêve, il lui dit : « Revenez à vous, cnère âme, et n'ayez plus de crainte. Vous êtes entre les bras de vos amis, et personne maintenant ne vous saurait nuire. »

Quoiqu'elle n'eût point encore ouvert les yeux, un languissant sourire se dessina sur les lèvres décolorées d'Isabelle, et ses doigts pâles, moites des froides sueurs de la pâmoison, serrèrent imperceptiblement la main de Sigognac

Tout à coup, une impérieuse sonnerie de cor éclata dans le silence qui avait succédé au tumulte de la bataille. Au bout de quelques minutes elle se répéta avec une fureur stridente et prolongée. C'était un appel de maître auquel il fallait obéir.

Bientôt parurent quatre laquais à grande livrée, portant des cires allumées avec cet air impassible et cet empressement muet qu'ont les valets de noble maison. Derrière eux, montait un homme de haute mine, vêtu de la tête aux pieds d'un velours noir passementé de jayet. Un ordre, de ceux que se réservent les rois et les princes, ou qu'ils n'accordent qu'aux plus illustres personnages, brillait à sa poitrine sur le fond sombre de l'étoffe. Arrivés au palier, les laquais se rangèrent contre le mur, comme des statues portant au poing des torches, sans qu'aucune palpitation de paupière, sans qu'un tressaillement de muscles indiquât en aucune façon qu'ils aperçussent le spectacle assez singulier pourtant qu'ils avaient sous les yeux. Le maître n'ayant point encore parlé, ils ne devaient pas avoir d'opinion.

Le seigneur vêtu de noir s'arrêta sur le palier. Bien que l'âge eût mis des rides à son front et à ses joues, jauni son teint et blanchi son poil, on pouvait encore reconnaître en lui l'original du portrait qui avait attiré les regards d'Isabelle en sa détresse, et qu'elle avait imploré comme une figure amie. C'était le prince père de Vallombreuse. Le fils portait le nom d'un duché, en attendant que l'ordre naturel des successions le rendît à son tour chef de famille.

A l'aspect d'Isabelle, que soutenaient Hérode et Sigognac, et à qui sa pâleur exsangue donnait l'air d'une morte, le prince leva les bras au ciel en poussant un soupir. « Je suis arrivé trop tard, dit-il, quelque diligence que j'aie faite », et il se baissa vers la jeune comédienne, dont il prit la main inerte.

A cette main blanche comme si elle eût été sculptée dans l'albâtre brillait au doigt annulaire une bague dont une améthyste assez grosse formait le chaton. Le vieux seigneur parut étrangement troublé à la vue de cette bague. Il la tira du doigt d'Isabelle avec un tremblement convulsif, fit signe à un des laquais porteurs de torche de s'approcher, et à la lueur plus vive de la cire déchiffra le blason gravé sur la pierre, mettant l'anneau tout près de la clarté et l'éloignant ensuite pour en mieux saisir les détails avec sa vue de vieillard.

Sigognac, Hérode et Lampourde suivaient anxieusement les gestes égarés du prince et ses changements de physionomie à la vue de ce bijou qu'il paraissait bien connaître, et qu'il tournait et retournait entre ses mains, comme ne pouvant se décider à admettre une idée pénible.

« Où est Vallombreuse, s'écria-t-il enfin d'une voix tonnante, où est ce monstre indigne de ma race ? »

Il avait reconnu, à n'en pouvoir douter, dans cette bague, l'anneau orné d'un blason de fantaisie avec lequel il scellait jadis les billets qu'il écrivait à Cornélia mère d'Isabelle. Comment cet anneau se trouvait-il au doigt de cette jeune actrice enlevée par Vallombreuse et de qui le tenait-elle? « Serait-elle la fille de Cornélia, se disait le prince, et la mienne? Cette profession de comédienne qu'elle exerce, son âge, sa figure où se retrouvent quelques traits adoucis de sa mère, tout concorde à me le faire croire. Alors, c'est sa sœur que poursuivait ce damné libertin; cet amour est un inceste; oh! je suis cruellement puni d'une faute ancienne. »

Isabelle ouvrit enfin les yeux, et son premier regard rencontra le prince tenant la bague qu'il lui avait ôtée du doigt. Il lui sembla avoir déjà vu cette figure, mais jeune encore, sans cheveux blancs ni barbe grise. On eût dit la copie vieillie du portrait placé au-dessus de la cheminée. Un sentiment de vénération profonde envahit à son aspect le cœur d'Isabelle. Elle vit aussi près d'elle le brave Sigognac et le bon Hérode, tous deux sains et saufs, et aux transes de la lutte succéda la sécurité de la délivrance. Elle n'avait plus rien à craindre ni pour ses amis ni pour elle. Se soulevant à demi, elle inclina la tête devant le prince, qui la contemplait avec une attention passionnée, et paraissait chercher dans les traits de la jeune fille une ressemblance à un type autrefois chéri.

« De qui, mademoiselle, tenez-vous cet anneau qui me rappelle certains souvenirs; l'avez-vous depuis longtemps en votre possession? dit le vieux seigneur d'une voix émue.

— Je le possède depuis mon enfance, et c'est l'unique héritage que j'aie recueilli de ma mère, répondit Isabelle.

— Et qui était votre mère, que faisait-elle? dit le prince avec un redoublement d'intérêt.

— Elle s'appelait Cornélia, repartit modestement Isabelle, et c'était une pauvre comédienne de province qui jouait les reines et les princesses tragiques dans la troupe dont je fais partie encore.

— Cornélia ! Plus de doute, fit le prince troublé, oui, c'est bien elle ; mais, dominant son émotion, il reprit un air majestueux et calme, et dit à Isabelle : Permettez-moi de garder cet anneau. Je vous le remettrai quand il faudra.

— Il est bien entre les mains de Votre Seigneurie, répondit la jeune comédienne, en qui, à travers les brumeux souvenirs de l'enfance, s'ébauchait le souvenir d'une figure que, toute petite, elle avait vue se pencher vers son berceau.

— Messieurs, dit le prince, fixant son regard ferme et clair sur Sigognac et ses compagnons, en toute autre circonstance je pourrais trouver étrange votre présence armée dans mon château ; mais je sais le motif qui vous a fait envahir cette demeure jusqu'à présent sacrée. La violence appelle la violence, et la justifie. Je fermerai les yeux sur ce qui vient d'arriver. Mais où est le duc de Vallombreuse, ce fils dégénéré qui déshonore ma vieillesse ? »

Comme s'il eût répondu à l'appel de son père, Vallombreuse, au même instant, parut sur le seuil de la salle, soutenu par Malartic ; il était affreusement pâle, et sa main crispée serrait un mouchoir contre sa poitrine. Il marchait cependant, mais comme marchent les spectres, sans soulever les pieds. Une volonté terrible, dont l'effort donnait à ses traits l'immobilité d'un masque en marbre, le tenait seule debout. Il avait entendu la voix de son père, que, tout dépravé qu'il fût, il redoutait encore, et il espérait lui cacher sa blessure. Il mordait ses lèvres pour ne pas crier et ravalait l'écume sanglante qui lui montait aux coins de la bouche ; il ôta même son chapeau, malgré la douleur atroce que lui causait le mouvement de lever le bras, et resta ainsi découvert et silencieux.

« Monsieur, dit le prince, vos équipées dépassent les bornes, et vos déportements sont tels que je serai forcé d'implorer du roi, pour vous, la faveur d'un cachot ou d'un exil perpétuels. Le rapt, la séquestration, le viol ne sont plus de la galanterie et, si je peux passer quelque chose aux égarements d'une jeunesse licencieuse, je n'excuserai jamais le crime froidement médité. Savez-vous, monstre, continua-t-il en s'approchant de Vallombreuse et lui parlant à l'oreille de façon à n'être entendu de personne, savez-vous quelle est cette jeune fille, cette Isabelle que vous avez enlevée en dépit de sa vertueuse résistance ? – votre sœur !

– Puisse-t-elle remplacer le fils que vous allez perdre, répondit Vallombreuse, pris d'une défaillance qui fit apparaître sur son visage livide les sueurs de l'agonie ; mais je ne suis pas coupable comme vous le pensez. Isabelle est pure, je l'atteste sur le Dieu devant qui je vais paraître. La mort n'a pas l'habitude de mentir, et l'on peut croire à la parole d'un gentilhomme expirant.

– Mais qu'avez-vous donc ? dit le prince en étendant la main vers le jeune duc, qui chancelait malgré le soutien de Malartic.

– Rien, mon père, répondit Vallombreuse d'une voix à peine articulée... rien... Je meurs ; et il tomba tout d'une pièce sur les dalles du palier sans que Malartic pût le retenir.

– Un médecin ! un médecin ! s'écria le prince, oubliant son ressentiment à ce spectacle ; peut-être y a-t-il encore quelque espoir. Une fortune à qui sauvera mon fils, le der-

203

nier rejeton d'une noble race! Mais allez donc! que faites-vous là? courez, précipitez-vous! »

Isabelle, tout à fait remise de son évanouissement, se tenait debout, les yeux baissés, près de Sigognac et d'Hérode, rajustant d'une main pudique le désordre de ses habits. Lampourde et Scapin, un peu en arrière, s'effaçaient comme des figures de second plan, et dans le cadre de la porte on entrevoyait les têtes curieuses des bretteurs qui avaient pris part à la lutte et n'étaient pas sans inquiétude sur leur sort, craignant qu'on ne les envoyât aux galères ou au gibet pour avoir aidé Vallombreuse en ses méchantes entreprises.

Enfin le prince rompit ce silence embarrassant et dit : « Quittez ce château à l'instant, vous tous qui avez mis vos épées au service des mauvaises passions de mon fils. Je suis trop gentilhomme pour faire l'office des archers et du bourreau ; fuyez, disparaissez, rentrez dans vos repaires. La justice saura bien vous y retrouver. »

Quand ils se furent retirés, le père de Vallombreuse prit Isabelle par la main et, la détachant du groupe où elle se trouvait, la fit ranger près de lui et lui dit : « Restez là, mademoiselle ; votre place est désormais à mes côtés. C'est bien le moins que vous me rendiez une fille puisque vous m'ôtez un fils. » Et il essuya une larme qui, malgré lui, débordait de sa paupière. Puis se retournant vers Sigognac avec un geste d'une incomparable noblesse : « Monsieur, vous pouvez vous en aller avec vos compagnons. Isabelle n'a rien à redouter près de son père, et ce château sera dès à présent sa demeure. Maintenant que sa naissance est connue, il ne convient pas que ma fille retourne à Paris. Je la paye assez cher pour la garder. Je vous remercie, quoiqu'il m'en coûte l'espoir d'une race perpétuée, d'avoir épargné à mon fils une action honteuse, que dis-je, un crime abominable ! Sur mon blason je préfère une tache de sang à une tache de boue. Disparaissez, je ne ferai aucune poursuite, et je tâcherai d'oublier qu'une nécessité rigoureuse a dirigé votre fer sur le sein de mon fils !

— Monseigneur, répondit Sigognac sur le ton du plus profond respect. Je laisse en vos mains Isabelle, qui m'est plus chère que la vie, et me retire à jamais désolé de cette triste victoire pour moi véritable défaite, puisqu'elle détruit mon bonheur ! Ah ! que mieux eût valu que je fusse tué et victime au lieu de meurtrier ! »

Là-dessus, Sigognac fit au prince un salut, et lançant à Isabelle un long regard chargé d'amour et de regret, descendit les marches de l'escalier, suivi de Scapin et de Lampourde, non sans retourner plus d'une fois la tête, ce qui lui permit de voir la jeune fille appuyée contre la rampe de peur de défaillir, et portant son mouchoir à ses yeux pleins de larmes.

« Que vous semble, monsieur le Baron, de tous ces événements ? disait Hérode à Sigognac, qui cheminait botte à botte avec lui. Cela s'arrange comme une fin de tragicomédie. Qui se fût attendu au milieu de l'algarade à l'entrée seigneuriale de ce père précédé de flambeaux, et venant mettre le holà aux fredaines un peu trop fortes de monsieur son fils ? Et cette reconnaissance d'Isabelle au moyen d'une bague à cachet blasonné ? ne l'a-t-on pas déjà vue au théâtre ? Après tout, puisque le théâtre est l'image de la vie, la vie lui doit ressembler comme un original à son portrait.

— Oui, je savais cela, répondit Sigognac ; sans attacher autrement d'importance à cette illustre origine, Isabelle m'avait conté l'histoire de sa mère et parlé de la bague. On voyait bien d'ailleurs à la délicatesse de sentiment que pro fessait cette aimable fille qu'il y avait du sang illustre dans ses veines. Je l'aurais deviné quand même elle ne me l'eût pas dit. Sa beauté chaste, fine et pure révélait sa race. Aussi mon amour pour elle a-t-il toujours été mêlé de timidité et de respect, quoique volontiers la galanterie s'émancipe avec les comédiennes. Mais quelle fatalité que ce damné Vallombreuse se trouve précisément son frère ! Il y a maintenant un cadavre entre nous deux ; un ruisseau de sang nous sépare, et pourtant je ne pouvais sauver son honneur que par cette mort. Hélas, ce sang, je l'ai versé pour sa propre défense, mais c'était le sang fraternel ! Quand bien même elle me pardonnerait et me verrait sans horreur, le prince, qui maintenant a sur elle des droits de père, repoussera, en le maudissant, le meurtrier de son fils. Oh ! je suis né sous une étoile enragée.

— Tout cela sans doute est fort lamentable, répondit Hérode, mais les affaires du Cid et de Chimène étaient encore bien autrement embrouillées comme on le voit en la pièce de M. Pierre de Corneille, et cependant, après bien des combats entre l'amour et le devoir, elles finirent par s'arranger à l'amiable. Ne vous désespérez donc point ainsi. Les choses prendront peut-être une meilleure tour-nure que vous ne pensez. Ce à quoi il faut aviser promte-ment, c'est à quitter Paris et à gagner quelque retraite où l'on vous oublie. La mort de Vallombreuse fera du bruit à la cour et à la ville, quelque soin qu'on prenne de la celer. Et, encore qu'il ne soit guère aimé, on pourrait vous cher-cher noise. »

Les chevaux, sollicités du talon, prirent une allure plus vive ; mais pendant qu'ils cheminent, retournons au château, aussi calme maintenant qu'il était bruyant tout à l'heure, et entrons dans la chambre où les domestiques ont déposé Vallombreuse. Un chandelier à plusieurs branches, posé sur un guéridon, l'éclairait d'une lumière dont les rayons tombaient sur le lit du jeune duc, immobile comme un cadavre, et qui semblait encore plus pâle sur le fond cramoisi des rideaux et aux reflets rouges de la soie.

Le prince, assis dans un fauteuil auprès du lit, regardait d'un œil morne ce visage aussi blanc que l'oreiller de dentelles qui ballonnait autour de lui. Cette pâleur même en rendait encore les traits plus délicats et plus purs. Tout ce que la vie peut imprimer de vulgaire à une figure humaine y disparaissait dans une sérénité de marbre, et jamais Vallombreuse n'avait été plus beau.

C'était plus que la mort de son fils qu'il déplorait, c'était la mort de sa maison : une douleur inconnue aux bourgeois et aux manants. Il tenait la main glacée de Vallombreuse entre les siennes, et y sentant un peu de chaleur, il ne réfléchissait pas qu'elle venait de lui et se laissait aller à un espoir chimérique.

Isabelle était debout au pied du lit, les mains jointes et priant Dieu avec toute la ferveur de son âme pour ce frère dont elle causait innocemment la mort, et qui payait de sa vie le crime d'avoir trop aimé, crime que les femmes pardonnent volontiers, surtout lorsqu'elles en sont l'objet.

« Et ce médecin qui ne vient pas ! fit le prince avec impatience, il y a peut-être encore quelque remède. »

Comme il disait ces mots, la porte s'ouvrit et le chirurgien parut, accompagné d'un élève qui lui portait sa trousse d'instruments. Après un léger salut, sans dire une parole, il alla droit à la couche où gisait le jeune duc, lui tâta le pouls, lui mit la main sur le cœur et fit un signe découragé. Cependant, pour donner à son arrêt une certitude scientifique, il tira de sa poche un petit miroir d'acier poli et l'approcha des lèvres de Vallombreuse, puis il examina attentivement le miroir; un léger nuage s'était formé à la surface du métal et le ternissait. Le médecin étonné réitéra son expérience. Un nouveau brouillard couvrit l'acier. Isabelle et le prince suivaient anxieusement les gestes du chirurgien, dont le visage s'était un peu déridé.

« Ne restez pas là, Isabelle, fit le père de Vallombreuse, de tels spectacles sont trop tragiques et navrants pour une jeune fille. On vous informera de la sentence que portera le docteur quand il aura terminé son examen. »

Aidé de son élève, le chirurgien défit le pourpoint de Vallombreuse, déchira la chemise et découvrit une poitrine aussi blanche que l'ivoire où se dessinait une plaie étroite et triangulaire, emperlée de quelques gouttelettes de sang. La plaie avait peu saigné. L'épanchement s'était fait en dedans; le suppôt d'Esculape débrida les lèvres de la blessure et la sonda. Un léger tressaillement contracta la face du patient dont les yeux restaient toujours fermés, et qui ne bougeait non plus qu'une statue sur un tombeau, dans une chapelle de famille.

« Bon cela, fit le chirurgien en observant cette contraction douloureuse; il souffre, donc il vit. Cette sensibilité est de favorable augure.

— N'est-ce pas qu'il vivra, fit le prince; si vous le sauvez, je vous ferai riche, je réaliserai tous vos souhaits; ce que vous demanderez, vous l'obtiendrez.

— Oh! n'allons pas si vite, dit le médecin, je ne réponds de rien encore; l'épée a traversé le haut du poumon droit. Le cas est grave, très grave. Cependant, comme le sujet est jeune, sain, vigoureux, bâti, sans cette maudite blessure, pour vivre cent ans, il se peut qu'il en réchappe, à moins de complications imprévues : il y a pour de tels cas des exemples de guérison. La nature chez les jeunes gens a tant de ressources ! La sève de la vie encore ascendante répare si vite les pertes et rajuste si bien les dégâts ! Avec des ventouses et des scarifications, je vais tâcher de dégager la poitrine du sang qui s'est répandu à l'intérieur et finirait par étouffer M. le duc, s'il n'était heureusement tombé entre les mains d'un homme de science, cas rare en ces villages et châteaux loin de Paris. Ayez confiance en moi, monseigneur, et croyez que tout ce que la science humaine peut risquer pour sauver une vie sera fait avec audace et prudence. Rentrez dans vos appartements, je vous réponds de la vie de M. votre fils... jusqu'à demain. »

Un peu calmé par cette assurance, le père de Vallombreuse se retira chez lui, où toutes les heures un laquais lui venait apporter des bulletins de l'état du jeune duc

Couchée dans un lit moelleux, Isabelle cherchait à se rendre compte des sentiments que lui inspirait ce revirement subit de destinée. Hier encore elle n'était qu'une pauvre comédienne, sans autre nom que le nom de guerre par lequel la désignait l'affiche aux coins des carrefours. Aujourd'hui, un grand la reconnaissait pour sa fille ; elle se greffait, humble fleur, sur un des rameaux de ce puissant arbre généalogique dont les racines plongeaient si avant dans le passé, et qui portait à chaque branche un illustre, un héros ! Ce prince si vénérable, et qui n'avait de supérieur que les têtes couronnées, était son père. Ce terrible duc de Vallombreuse, si beau malgré sa perversité, se changeait d'amant en frère, et s'il survivait, sa passion, sans doute, s'éteindrait en une amitié pure et calme. Ce château, naguère sa prison, était devenu sa demeure ; elle y était chez elle, et les domestiques lui obéissaient avec un respect qui n'avait plus rien de contraint ni de simulé. Tous les rêves qu'eût pu faire l'ambition la plus désordonnée, le sort s'était chargé de les accomplir pour elle et sans sa participation. De ce qui semblait devoir être sa perte sa fortune avait surgi radieuse, invraisemblable, au-dessus de toute attente.

Si comblée de bonheurs, Isabelle s'étonnait de ne pas éprouver une plus grande joie ; son âme avait besoin de s'accoutumer à cet ordre d'idées si nouveau. Peut-être même, sans bien s'en rendre compte, regrettait-elle sa vie de théâtre ; mais ce qui dominait tout, c'était l'idée de Sigognac. Ce changement dans sa position l'éloignait-il ou la rapprochait-il de cet amant si parfait, si dévoué, si courageux ? La fille reconnue d'un prince pouvait bien devenir la baronne de Sigognac. Mais le Baron était le meurtrier de Vallombreuse. Leurs mains ne sauraient se rejoindre par-dessus une tombe. Si le jeune duc ne succombait pas, peut-être garderait-il de sa blessure et de sa défaite surtout, car il avait l'orgueil plus sensible que la chair, un trop durable ressentiment. Le prince, de son côté, était capable, quelque bon et généreux qu'il fût, de ne pas voir de bon œil celui qui avait failli le priver d'un fils ; il pouvait aussi désirer pour Isabelle une autre alliance ; mais, intérieurement, la jeune fille se promit d'être fidèle à ses amours de comédienne et d'entrer plutôt en religion que d'accepter un duc, un marquis, un comte, le prétendant fût-il beau comme le jour et doué comme un prince des contes de fées.

Satisfaite de cette résolution, elle allait s'endormir, lorsqu'un bruit léger lui fit rouvrir les yeux, et elle aperçut

Chiquita, debout au pied de son lit, qui la regardait en silence et d'un air méditatif.

« Que veux-tu, ma chère enfant ? lui dit Isabelle de sa voix la plus douce, tu n'es donc pas partie avec les autres ; si tu désires rester près de moi, je te garderai, car tu m'as rendu bien des services.

— Je t'aime beaucoup, répondit Chiquita ; mais je ne puis rester avec toi tant qu'Agostin vivra. Les lames d'Albacète disent : " *Soy de un dueño* ", ce qui signifie : " Je n'ai qu'un maître ", une belle parole digne de l'acier fidèle. Pourtant j'ai un désir. Si tu trouves que j'ai payé le collier de perles, embrasse-moi. Je n'ai jamais été embrassée. Cela doit être si bon !

— Oh ! de tout mon cœur ! fit Isabelle en prenant la tête de l'enfant et en baisant ses joues brunes, qui se couvrirent de rougeur tant son émotion était forte.

— Maintenant, adieu ! » dit Chiquita, qui avait repris son calme habituel.

Elle allait se retirer comme elle était venue, lorsqu'elle avisa sur la table le couteau dont elle avait enseigné le maniement à la jeune comédienne pour se défendre contre les entreprises de Vallombreuse, et elle dit à Isabelle :

« Rends-moi mon couteau, tu n'en as plus besoin. » Et elle disparut.

211

XVIII

EN FAMILLE

Le chirurgien avait répondu jusqu'au lendemain de la vie de Vallombreuse. Sa promesse s'était réalisée. Le jour, en pénétrant dans la chambre en désordre, où traînaient sur les tables des linges ensanglantés, avait retrouvé le jeune malade respirant encore.

Son visage reprenait une expression moins alarmée, et sa vue de nouveau se mettait à flotter autour de lui. Lentement son âme revenait des limbes, et son cœur, à petit bruit, sous l'oreille appliquée du médecin, recommençait à battre : faibles pulsations, témoignages sourds de la vie, que la science seule pouvait entendre. Les lèvres entrouvertes découvraient la blancheur des dents et simulaient un languissant sourire, plus triste que les contractions de la souffrance ; car c'était celui que dessine sur les bouches humaines l'approche du repos éternel : cependant quelques légères nuances vermeilles se mêlaient aux teintes violettes et montraient que le sang reprenait peu à peu son cours.

Debout au chevet du blessé, maître Laurent le chirurgien observait ces symptômes, si malaisément appréciables, avec une attention profonde et perspicace. C'était un homme instruit que maître Laurent, et à qui, pour être connu comme il méritait de l'être, il n'avait manqué jusque-là que des occasions illustres.

Il attachait donc à la cure du jeune duc une importance énorme. Son amour-propre et son ambition étaient en jeu également dans ce duel qu'il soutenait contre la Mort. Pour se garder entière la gloire du triomphe, il avait dit au prince, qui voulait faire venir de Paris les plus célèbres médecins, que lui seul suffirait à cette besogne, et que rien n'était plus grave qu'un changement de méthode dans le traitement d'une telle blessure.

En ce moment, une main écarta avec précaution la tapisserie de la portière, et sous le pli relevé apparut la tête vénérable du prince, fatiguée et plus vieillie par l'angoisse de cette nuit terrible que par dix années. « Eh bien ! maître Laurent ? » murmura-t-il d'une voix anxieuse. Le chirurgien posa son doigt sur sa bouche, et de l'autre main lui montra Vallombreuse, un peu soulevé sur l'oreiller, et n'ayant plus l'aspect cadavérique ; car la potion le brûlait et le ranimait par sa flamme.

Maître Laurent, de ce pas léger habituel aux personnes qui soignent les malades, vint trouver le prince sur le seuil de la porte et, le tirant un peu à part, il lui dit : « Vous voyez, monseigneur, que l'état de monsieur votre fils, loin d'avoir empiré, s'améliore sensiblement. Sans doute, il n'est point sauvé encore : mais, à moins d'une complication imprévue que je fais tous mes efforts pour prévenir, je pense qu'il s'en tirera et pourra continuer ses destinées glorieuses comme s'il n'eût point été blessé. »

Un vif sentiment de joie paternelle illumina la figure du prince ; et, comme il s'avançait vers la chambre pour embrasser son fils, maître Laurent lui posa respectueusement la main sur la manche et l'arrêta : « Permettez-moi, prince, de m'opposer à l'accomplissement de ce désir si naturel ; les docteurs sont fâcheux souvent, et la médecine a des rigueurs à nulle autre pareilles. De grâce, n'entrez pas chez le duc. Votre présence chérie et redoutée pourrait, en l'affaiblissement où il se trouve, provoquer une crise dangereuse. Toute émotion lui serait fatale, et capable de briser le fil bien frêle dont je l'ai rattaché à la vie. Dans quelques jours, sa plaie étant en voie de cicatrisation, et ses forces revenues peu à peu, vous aurez tout à votre aise et sans péril cette douceur de le voir. »

Le prince, rassuré et se rendant aux justes raisons du chirurgien, se retira dans son appartement, où il s'occupa de lectures pieuses jusqu'au coup de midi, heure à laquelle le majordome le vint avertir « que le dîner de monseigneur était servi sur table ».

« Qu'on prévienne la comtesse Isabelle de Lineuil ma fille – tel est le titre qu'elle portera désormais – de vouloir bien descendre dîner », dit le prince au majordome, qui s'empressa d'obéir à cet ordre.

Quand Isabelle entra, le prince était déjà en sa chaise dont le haut dossier figurait une sorte de dais. Derrière lui se tenaient deux laquais en grande livrée. La jeune fille adressa à son père une révérence modeste qui ne sentait pas son théâtre, et que toute grande dame eût approuvée. Un domestique lui avança un siège, et, sans trop d'embarras, elle prit place en face du prince à l'endroit qu'il lui désignait de la main.

Comme les laquais s'étaient retirés, le prince prit tendrement la main d'Isabelle entre les siennes, et contempla quelque temps en silence cette fille si étrangement retrouvée. Ses yeux exprimaient une joie mêlée de tristesse. Car, malgré les assurances du médecin, la vie de Vallombreuse pendait encore à un fil. Heureux d'une part, il était malheureux de l'autre ; mais le charmant visage d'Isabelle dissipa bientôt cette impression pénible, et le prince tint ce discours à la nouvelle comtesse :

« Il y a quelques jours, étant à Saint-Germain auprès du roi, pour devoirs de ma charge, j'entendis des courtisans parler avec faveur de la troupe d'Hérode, et ce qu'ils en dirent me fit naître l'envie d'assister à une représentation de ces comédiens, les meilleurs qui fussent venus depuis longtemps de province à Paris. On louait surtout une certaine Isabelle pour son jeu correct, décent, naturel et tout plein d'une grâce naïve. Ce rôle d'ingénue qu'elle rendait si bien au théâtre, elle le soutenait, assurait-on, à la ville, et les plus méchantes langues se taisaient devant sa vertu. Agité d'un secret pressentiment, je me rendis à la salle où récitaient ces acteurs, et je vous vis jouer à l'applaudissement général. Votre air de jeune personne honnête, vos façons timides et modestes, le son de votre voix si frais et si argentin, tout cela me troublait l'âme d'étrange sorte. Il est impossible même à l'œil d'un père de reconnaître dans la belle fille de vingt ans l'enfant qu'il n'a pas vue depuis le berceau, et surtout à la lueur des chandelles, à travers l'éblouissement du théâtre ; mais il me semblait que si un caprice de la fortune poussait sur les planches une fille de qualité, elle aurait cette mine réservée et discrète tenant à distance les autres comédiens, cette distinction qui fait dire à tout le monde : « Comment se trouve-t-elle là ? » Dans la même pièce figurait un pédant dont la trogne avinée ne m'était point inconnue.

Aussi formai-je la résolution de l'interroger, et l'aurais-je fait si, quand j'envoyai à l'auberge de la rue Dauphine, on ne m'eût dit que les comédiens d'Hérode étaient partis pour donner une représentation dans un château aux environs de Paris. Je me serais tenu tranquille jusqu'au retour des acteurs, si un brave serviteur ne me fût venu prévenir, craignant quelque rencontre fâcheuse, que le duc de Vallombreuse, amoureux à la folie d'une comédienne nommée Isabelle qui lui résistait avec la plus ferme vertu, avait fait le projet de l'enlever pendant cette expédition supposée, au moyen d'une escouade de spadassins à gages, action par trop énorme et violente, capable de mal tourner, la jeune fille étant accompagnée d'amis qui n'allaient pas sans armes. Le soupçon que j'avais de votre naissance me jeta, à cet avertissement, dans une perturbation d'âme étrange à concevoir. Je frémis à l'idée de cet amour criminel qui se changeait en amour monstrueux, si mes pressentiments ne me trompaient point, puisque vous étiez, aux cas qu'ils fussent vrais, la propre sœur de Vallombreuse. J'appris que les ravisseurs devaient vous transporter en ce château, et je m'y rendis en toute diligence. Vous étiez déjà délivrée sans que votre honneur eût souffert, et la bague d'améthyste a confirmé ce que me disait à votre vue la voix du sang.

Mais, parmi vos libérateurs, quel était ce jeune homme qui semblait diriger l'attaque, et qui a blessé Vallombreuse ? Un comédien, sans doute, quoiqu'il m'ait paru de bien grand air et de hardi courage.

— Oui, mon père, répondit Isabelle dont les joues se couvrirent d'une faible et pudique rougeur, un comédien. Mais s'il m'est permis de trahir un secret qui n'en est plus un déjà pour monsieur le duc, je vous dirai que ce prétendu capitaine Fracasse (tel est son emploi dans la troupe) cache sous son masque un noble visage, et sous son nom de théâtre un nom de race illustre.

– En effet, répondit le prince, je crois avoir entendu parler de cela. Il eût été étonnant qu'un comédien se risquât à cet acte téméraire de contrecarrer un duc de Vallombreuse, et d'entrer en lutte avec lui. Il faut un sang généreux pour de telles audaces. Un gentilhomme seul peut vaincre un gentilhomme, de même qu'un diamant n'est rayé que par un autre diamant. »

L'orgueil nobiliaire du prince éprouvait quelque consolation à penser que son fils n'avait point été navré par quelqu'un de bas lieu. Les choses reprenaient ainsi une situation régulière. Ce combat devenait une sorte de duel entre gens de condition égale, et le motif en était avouable ; l'élégance n'avait rien à souffrir de cette rencontre.

« Et comment se nomme ce valeureux champion, reprit le prince, ce preux chevalier défenseur de l'innocence ?

– Le baron de Sigognac, répondit Isabelle d'une voix légèrement tremblante, je livre son nom sans crainte à votre générosité. Vous êtes trop juste pour poursuivre en lui le malheur d'une victoire qu'il déplore.

– Sigognac, dit le prince, je pensais cette race éteinte. N'est-ce pas une famille de Gascogne ?

– Oui, mon père, son castel se trouve aux environs de Dax.

– Pauvreté n'est pas forfaiture, dit le prince, et toute noble maison qui n'a point failli à l'honneur peut se relever. Pourquoi, en son désastre, le baron de Sigognac ne s'est-il pas adressé à quelqu'un des anciens compagnons d'armes de son père, ou même au roi, le protecteur né de tous les gentilshommes ?

– Le malheur rend timide, quelque brave qu'on soit, répondit Isabelle, et l'amour-propre retient le courage. En venant avec nous, le Baron comptait rencontrer à Paris une occasion favorable qui ne s'est point présentée ; pour n'être point à notre charge, il a voulu remplacer un de nos camarades mort en route, et comme cet emploi se joue sous le masque, il n'y pensait pas compromettre sa dignité. »

Isabelle fixait sur le prince ses grands yeux bleus, où brillaient la plus pure innocence et la plus parfaite loyauté. La nuance rose dont le nom de Sigognac avait coloré son beau visage s'était dissipée ; sa physionomie n'offrait aucun signe de honte ou d'embarras. Dans son cœur le regard d'un père, le regard de Dieu même, n'eût rien trouvé de répréhensible.

Au bout de deux ou trois semaines, Vallombreuse, fortifié par de légers aliments, put passer quelques heures sur une chaise longue et supporter l'air d'une fenêtre ouverte, par où entraient les souffles balsamiques du printemps. Isabelle souvent lui tenait compagnie et lui faisait la lecture, fonction à laquelle son ancien métier de comédienne la rendait merveilleusement propre, par l'habitude de soutenir la voix et de varier à propos les intonations.

Un jour qu'ayant achevé un chapitre elle allait en recommencer un autre dont elle avait déjà lu l'argument, le duc de Vallombreuse lui fit signe de poser le livre, et lui dit :

« D'ici à peu je serai remis sur pied, ma sœur, et je vous présenterai dans le monde où votre rang vous appelle, et où votre beauté si parfaite ne manquera pas d'amener à vos pieds nombre d'adorateurs, parmi lesquels la comtesse de Lineuil pourra se choisir un époux.

— Je n'ai aucune envie de me marier, et croyez que ce ne sont point là propos de jeune fille qui serait bien fâchée d'être prise au mot. J'ai assez donné ma main à la fin des pièces où je jouais pour n'être pas si pressée de le faire dans la vie réelle. Je ne rêve pas d'existence plus douce que de rester près du prince et de vous.

— Un père et un frère ne suffisent pas toujours, même à la personne la plus détachée du monde. Ces tendresses-là ne remplissent pas tout le cœur.

— Elles rempliront tout le mien, cependant, et si elles me manquaient un jour, j'entrerais en religion.

— Ce serait vraiment pousser l'austérité trop loin. Est-ce que le chevalier de Vidalinc ne vous paraît pas avoir tout ce qu'il faut pour faire un mari parfait?

— Sans doute. La femme qu'il épousera pourra se dire heureuse; mais, quelque charmant que soit votre ami, mon cher Vallombreuse, je ne serai jamais cette femme. Je vous l'ai déjà dit, mon frère, je ne veux point me marier, et vous le savez bien, vous qui me tourmentez de la sorte.

— S'il en est ainsi, je me tais, fit Vallombreuse avec un air de soumission, mais croyez que vous ne serez mariée que de ma main.

Cette conversation, où le duc semblait avoir voulu mettre une intention malicieuse, troublait Isabelle quoi qu'elle en eût. Vallombreuse, conservant une rancune secrète à l'endroit de Sigognac, bien qu'il n'en eût pas encore prononcé le nom depuis l'attaque du château, cherchait-il à élever par un mariage un obstacle insurmontable entre le Baron et sa sœur? Quoique les positions fussent changées, Vallombreuse, en son cœur, devait toujours haïr Sigognac. Eût-il assez de grandeur d'âme pour lui pardonner, la générosité n'exigeait pas qu'il l'aimât et

220

l'admît dans sa famille. Il fallait renoncer à l'espoir d'une réconciliation. Le prince, d'ailleurs, ne verrait jamais avec plaisir celui qui avait mis en péril les jours de son fils. Ces réflexions jetaient Isabelle en une mélancolie qu'elle essayait vainement de secouer. Tant qu'elle s'était considérée dans son état de comédienne comme un obstacle à la fortune de Sigognac, elle avait repoussé toute idée d'union avec lui ; mais, maintenant qu'un coup inopiné du sort la comblait de tous les biens qu'on souhaite, elle eût aimé à récompenser par le don de sa main celui qui la lui avait demandée quand elle était méprisée et pauvre. Elle trouvait une sorte de bassesse à ne point faire partager sa prospérité au compagnon de sa misère. Mais tout ce qu'elle pouvait faire, c'était de lui garder une inaltérable fidélité, car elle n'osait parler en sa faveur ni au prince ni à Vallombreuse.

Vallombreuse, tout à fait rétabli, proposa à sa sœur une promenade à cheval dans le parc, et les deux jeunes gens suivirent au pas une longue allée, dont les arbres centenaires se rejoignaient en voûte et formaient un couvert impénétrable aux rayons du soleil ; le duc avait repris toute sa beauté, Isabelle était charmante, et jamais couple plus gracieux ne chevaucha côte à côte. Seulement la physionomie du jeune homme exprimait la gaieté et celle de la jeune fille la mélancolie.

Au bas du perron, en enlevant sa sœur de dessus la selle, le jeune duc lui dit : « Maintenant me voilà un grand garçon, et j'obtiendrai la permission de sortir seul

— Eh quoi ! vous voulez donc nous quitter à peine guéri, méchant que vous êtes ?

— Oui, j'ai besoin de faire un voyage de quelques jours, répondit négligemment Vallombreuse. »

En effet, le lendemain il partit après avoir pris congé du prince, qui ne s'opposa point à son départ, et dit à Isabelle d'un ton énigmatique et bizarre : « Au revoir, petite sœur, vous serez contente de moi ! »

XIX

ORTIES ET TOILES D'ARAIGNÉE

Le conseil d'Hérode était sage, et Sigognac se résolut à le suivre ; aucun attrait d'ailleurs, Isabelle devenue de comédienne grande dame, ne le rattachait plus à la troupe. Il fallait disparaître quelque temps, se plonger dans l'oubli, jusqu'à ce que le ressentiment causé par la mort probable de Vallombreuse se fût apaisé. A petites journées, il se dirigeait vers sa gentilhommière délabrée ; car, après l'orage, l'oiseau retourne toujours à son nid, ne fût-il que de bûchettes et de vieille paille. C'était le seul gîte où il pût se réfugier, et dans ses désespérances il éprouvait une sorte de plaisir à retourner au pauvre manoir de ses pères, qu'il eût peut-être mieux fait de ne pas quitter. En effet, sa fortune ne s'était guère améliorée, et cette dernière aventure ne pouvait que lui nuire. « Allons, se disait-il tout en cheminant, j'étais prédestiné à mourir de faim et d'ennui entre ces murailles lézardées, sous ce toit qui laisse passer la pluie comme un crible. Nul n'évite son sort et j'accomplirai le mien : je serai le dernier des Sigognac. »

Il est inutile de décrire tout au long ce voyage qui dura une vingtaine de jours et ne fut égayé d'aucune rencontre curieuse. Il suffira de dire qu'un beau soir Sigognac perçut de loin les deux tourelles de son château, illuminées par le couchant et se détachant en clair du fond violet de l'horizon.

Cette vue causa au Baron un attendrissement bizarre; certes, il avait bien souffert dans ce castel en ruine, et cependant il éprouvait à le retrouver l'émotion que procure au retour un ancien ami dont l'absence a fait oublier les défauts. Sa vie s'était écoulée là pauvre, obscure, solitaire, mais non sans quelques secrètes douceurs; car la jeunesse ne peut être tout à fait malheureuse. La plus découragée a encore ses rêves et ses espérances.

Comme la nuit s'était faite, Pierre avait allumé au foyer où cuisait son frugal souper un éclat de bois résineux, dont, à l'entrée du chemin, la fumée rougeâtre illumina tout à coup Sigognac et son cheval.

« C'est vous, monsieur le Baron, s'écria joyeusement le brave Pierre à la vue de son maître; Miraut me l'avait déjà dit en son honnête langage de chien; car nous sommes si seuls ici que bêtes et gens, ne parlant qu'entre eux, finissent par se comprendre. Cependant n'ayant point été averti de votre retour, je craignais de me tromper. Attendu ou non, soyez le bienvenu dans votre domaine; on tâchera de vous fêter le mieux possible.

– Oui, c'est bien moi, mon bon Pierre, Miraut ne t'a pas menti; moi, sinon plus riche, du moins sain et sauf; allons, marche devant avec ta torche et rentrons au logis. »

Pierre, non sans effort, ouvrit les battants de la vieille porte, et le baron de Sigognac passa sous le portail éclairé d'une manière fantastique par les reflets de la torche. A cette lueur les trois cigognes sculptées sur le blason à la voûte parurent s'animer et palpiter des ailes comme si elles eussent voulu saluer le retour du dernier rejeton de la famille qu'elles avaient symbolisée pendant tant de siècles.

Un hennissement prolongé semblable à un clairon se fit entendre. C'était Bayard qui du fond de son écurie sentait son maître et tirait de ses vieux poumons asthmatiques cette fanfare éclatante !

« Bien, bien, je t'entends, mon pauvre Bayard, dit Sigognac en descendant de cheval et en jetant les rênes à Pierre ; je vais t'aller dire bonjour. » Et il se dirigeait du côté de l'écurie lorsqu'il faillit choir : une masse noirâtre s'enchevêtrait dans ses jambes miaulant, ronronnant, faisant le gros dos. C'était Béelzébuth qui exprimait sa joie avec tous les moyens que la nature a donnés à la race féline ; Sigognac le prit entre ses bras et l'éleva à la hauteur de son visage. Le matou était au comble du bonheur ; ses yeux ronds s'illuminaient de lueurs phosphoriques ; des frémissements nerveux lui faisaient ouvrir et fermer ses pattes aux ongles rétractiles. Il s'étranglait à force de filer vite son rouet et poussait avec une passion éperdue son nez, noir et grenu comme une truffe, contre la moustache de Sigognac. Après l'avoir bien caressé, car il ne dédaignait pas ces témoignages d'affection d'humbles amis, le Baron remit délicatement Béelzébuth à terre, et ce fut le tour de Bayard, qu'il flatta, à plusieurs reprises, en lui frappant du plat de la main le col et la croupe. Le bon animale mettait sa tête sur l'épaule de son maître, grattait le sol de son pied et de l'arrière-train essayait une courbette fringante. Il accueillit poliment le bidet qu'on installa près de lui, se sentant sûr de l'affection de Sigognac et peut-être satisfait d'entrer en relation avec un animal de son espèce, ce qui ne lui était pas arrivé depuis longtemps.

« Maintenant que j'ai répondu aux civilités de mes bêtes, dit Sigognac à Pierre, il ne serait peut-être pas mal à propos d'aller voir à la cuisine ce que contient ton garde-manger ; j'ai mal déjeuné ce matin, mais je n'ai pas dîné du tout, car je voulais arriver au but de mon voyage devant qu'il fît nuit. A Paris, j'ai un peu perdu mes habitudes de sobriéte, et je ne serai pas fâché de souper, ne fût-ce que d'un rogaton. »

Selon l'antique cérémonial, Miraut, assis à sa droite sur son derrière, et Béelzébuth, accroupi à gauche, regardaient avec extase le baron de Sigognac et suivaient les voyages que sa main faisait du plat à sa bouche et de sa bouche au plat dans l'attente de quelque morceau qu'il leur jetait impartialement.

Ce tableau bizarre était éclairé par l'éclat de bois résineux que Pierre avait planté sur une fiche en fer, à l'intérieur de la cheminée, pour que la fumée ne se répandît pas dans la chambre. Il répétait si exactement la scène décrite au commencement de cette histoire que le Baron, frappé de cette ressemblance, s'imaginait avoir fait un rêve et n'être jamais sorti de son château.

Quand vint l'aurore, Sigognac fut plus frappé qu'il ne l'avait été la veille de l'état de dévastation où se trouvait son manoir. Le jour n'a pas de compassion pour les ruines et les vieilleries ; il en montre cruellement les pauvretés, les rides, les taches, les décolorations, les poussières, les moisissures ; la nuit, plus miséricordieuse, adoucit tout de ses ombres amies, et du pan de son voile essuie les larmes des choses. Les chambres, si vastes jadis, lui paraissaient petites, et il s'étonnait de les avoir gardées tellement grandes en son souvenir ; mais bientôt il reprit la mesure de son manoir et rentra dans sa vie ancienne comme dans un vieil habit qu'on a quelque temps quitté pour en mettre un neuf ; il se sentait à l'aise dans ce vêtement usé dont ses habitudes avaient formé les plis. Sa journée s'arrangeait ainsi. Il allait faire une courte prière dans la chapelle en ruine où reposaient ses aïeux, arrachait quelque ronce d'une tombe brisée, dépêchait son frugal repas, tirait des armes avec Pierre, montait Bayard ou le bidet qu'il avait conservé et, après une longue excursion, revenait au logis, silencieux et morne comme autrefois, puis il soupait entre Béelzébuth et Miraut et se couchait en feuilletant, pour s'endormir, un des volumes dépareillés et déjà cent fois lus de sa bibliothèque dévastée par les rats faméliques. Comme on voit, il ne survivait rien du brillant capitaine Fracasse, du hardi rival de Vallombreuse ; Sigognac était bien redevenu le châtelain du château de la Misère.

Un jour, il descendit au jardin où il avait conduit les deux jeunes comédiennes. Le jardin était plus inculte, plus désordonné et plus touffu en mauvaises herbes que jamais ; cependant, l'églantier, qui avait fourni une rose pour Isabelle et un bouton pour Sérafine, afin qu'il ne fût pas dit que deux dames sortissent d'un parterre sans être quelque peu fleuries, semblait, cette fois comme l'autre, s'être piqué d'honneur.

Sur la même branche s'épanouissaient deux charmantes petites roses, aux frêles pétales, ouvertes le matin et gardant encore dans leur cœur deux ou trois perles de rosée.

Cette vue attendrit singulièrement Sigognac par le souvenir qu'elle éveillait en lui. Il se rappela cette phrase d'Isabelle : « Dans cette promenade au jardin où vous écartiez les ronces devant moi, vous m'avez cueilli une petite rose sauvage, seul cadeau que vous pussiez me faire ; j'y ai laissé tomber une larme avant de la mettre dans mon sein, et silencieusement je vous ai donné mon âme en échange. »

Il prit la rose, en aspira passionnément l'odeur et mit

ses lèvres sur les feuilles, croyant que ce fussent les lèvres de son amie non moins douces, vermeilles et parfumées. Depuis qu'il était séparé d'Isabelle, il ne faisait qu'y penser, et il comprenait combien elle était indispensable à sa vie. Pendant les premiers jours, l'étourdissement de toutes ces aventures accumulées, la stupeur de ces revirements de fortune, la distraction forcée du voyage l'avaient empêché de se rendre compte du véritable état de son âme. Mais, rentré dans la solitude, le calme et le silence, il retrouvait Isabelle au bout de toutes ses rêveries. Elle remplissait sa tête et son cœur.

Deux ou trois mois se passèrent ainsi, et Sigognac était en sa chambre cherchant la pointe finale d'un sonnet à la louange de son aimée, lorsque Pierre vint annoncer à son maître qu'un gentilhomme était là qui demandait à lui parler.

« Un gentilhomme qui veut me parler, fit Sigognac, tu rêves ou il se trompe ! Personne au monde n'a rien à me dire ; cependant, pour la rareté du fait, introduis ce mortel singulier. Quel est son nom, du moins ?

— Il n'a pas voulu le décliner, prétendant que ce nom ne vous apprendrait rien », répondit Pierre en ouvrant la porte à deux battants.

Sur le seuil apparut un beau jeune homme, vêtu d'un élégant costume de cheval en drap couleur noisette, agrémenté de vert, chaussé de bottes en feutre gris aux éperons d'argent, et tenant en main un chapeau à larges bords orné d'une longue plume verte, ce qui permettait de voir en pleine lumière sa tête fière, délicate et charmante dont plus d'une femme eût jalousé les traits corrects dignes d'une statue antique.

Ce cavalier accompli ne parut pas faire sur Sigognac

une impression agréable, car il pâlit légèrement, et d'un bond courut à son épée suspendue au chevet du lit, la tira du fourreau et se mit en garde.

« Pardieu ! monsieur le duc, je croyais vous avoir bien tué ! Est-ce vous ou votre ombre qui m'apparaissez ainsi ?

– C'est moi-même Hannibal de Vallombreuse, répondit le jeune duc, moi-même en chair et en os, aussi peu décédé que possible ; mais rengainez au plus tôt cette rapière. Nous nous sommes déjà battus deux fois. C'est assez. Le proverbe dit que les choses répétées plaisent, mais qu'à la troisième redite elles deviennent fastidieuses. Je ne viens pas en ennemi. Si j'ai quelques petites peccadilles à me reprocher à votre endroit, vous avez bien pris votre revanche. Partant nous sommes quittes. Pour vous prouver mes bonnes intentions, voilà un brevet signé du roi qui vous donne un régiment. Mon père et moi avons fait souvenir Sa Majesté de l'attachement des Sigognac aux rois ses aïeux. J'ai voulu vous apporter en personne cette nouvelle favorable ; et maintenant, car je suis votre hôte, faites tordre le col à n'importe quoi, mettez à la broche qui vous voudrez ; mais, pour Dieu, donnez-moi à manger. Les auberges de cette route sont désastreuses, et mes fourgons, ensablés à quelque distance d'ici, contiennent mes provisions de bouche.

– J'ai bien peur, monsieur le duc, que mon dîner ne vous paraisse une vengeance, répondit Sigognac avec une courtoisie enjouée ; mais n'attribuez pas à la rancune la pauvre chère que vous ferez. Vos procédés francs et cordiaux me touchent au plus tendre de l'âme, et vous n'aurez pas désormais d'ami plus dévoué que moi. Bien que vous n'ayez guère besoin de mes services, ils vous sont tout acquis. Holà! Pierre, trouve des poulets, des œufs, de la viande, et tâche à régaler de ton mieux ce seigneur qui meurt de faim et n'en a pas l'habitude comme nous. »

Vallombreuse et Sigognac s'assirent en face l'un de l'autre sur les moins boiteuses des six chaises, et le jeune duc, que cette situation nouvelle pour lui égayait, attaqua les mets réunis à grand-peine par Pierre, avec une amusante férocité d'appétit.

Tout en tenant tête du mieux qu'il pouvait au jeune duc, Sigognac s'étonnait de voir chez lui, familièrement accoudé à sa table, cet élégant et fier seigneur, jadis son rival d'amour, qu'il avait tenu deux fois au bout de son épée, et qui avait essayé à plusieurs reprises de le faire dépêcher par des spadassins.

Le duc de Vallombreuse comprit la pensée du Baron sans que celui-ci l'exprimât, et quand le vieux serviteur se fut retiré, il fila entre ses doigts le bout de sa fine moustache, et dit au Baron avec une amicale franchise :

« Je vois bien, mon cher Sigognac, malgré toute votre politesse, que ma démarche vous semble un peu étrange et subite. Pendant les six semaines que je suis resté cloué au lit, j'ai fait quelques réflexions comme le plus brave en peut se permettre en face de l'éternité ; car la mort n'est rien pour nous autres, gentilshommes, qui prodiguons notre vie avec une élégance que les bourgeois n'imiteront jamais. J'ai senti la frivolité de bien des choses, et me suis promis, si j'en revenais, de me conduire autrement. L'amour que m'inspirait Isabelle changé en pure et sainte amitié, je n'avais plus de raisons de vous haïr. Vous n'étiez plus mon rival. Un frère ne saurait être jaloux de sa sœur ; je vous sus gré de la tendresse respectueuse que vous n'aviez cessé de lui témoigner quand elle se trouvait encore dans une condition qui autorise les licences. Vous avez le premier deviné cette âme charmante sous son déguisement de comédienne. Pauvre, vous avez offert à la femme méprisée la plus grande richesse que puisse posséder un noble, le nom de ses aïeux. Elle vous appartient donc, maintenant qu'elle est illustre et riche. L'amant d'Isabelle doit être le mari de la comtesse de Lineuil.

— Mais, répondit Sigognac, elle m'a toujours obstinément refusé lorsqu'elle pouvait croire à mon absolu désintéressement.

— Délicatesse suprême, susceptibilité angélique, pur esprit de sacrifice, elle craignait d'entraver votre sort et de nuire à votre fortune ; mais cette reconnaissance a renversé la situation.

— Oui, c'est moi qui maintenant serais un obstacle à sa haute position. Ai-je le droit d'être moins dévoué qu'elle ?

— Aimez-vous toujours ma sœur ? dit le duc de Vallombreuse d'un ton grave ; j'ai, comme frère, le droit de vous adresser cette question.

— De toute mon âme, de tout mon cœur, de tout mon sang, répondit Sigognac ; autant et plus que jamais homme ait aimé une femme sur cette terre, où rien n'est parfait, sinon Isabelle.

— En ce cas, monsieur le capitaine de mousquetaires, bientôt gouverneur de province, faites seller votre cheval et venez avec moi à Vallombreuse pour que je vous présente dans les formes au prince mon père et à la comtesse de Lineuil ma sœur. Isabelle a refusé pour époux le chevalier de Vidalinc, le marquis de l'Estang, deux fort beaux jeunes gens, ma foi ; mais je crois que, sans se faire trop prier, elle acceptera le baron de Sigognac. »

Le lendemain, le duc et le baron cheminaient botte à botte sur la route de Paris.

XX

DÉCLARATION D'AMOUR DE CHIQUITA

Une foule compacte garnissait la place de Grève, malgré l'heure assez matinale encore que marquait le cadran de l'Hôtel de Ville.

Aux fenêtres des maisons quelques têtes paraissaient, qui rentraient aussitôt, voyant que le spectacle n'était pas commencé.

A la croix de pierre plantée au bord de la déclivité qui descend au fleuve, un enfant, se hissant à grand-peine, s'était suspendu, et il s'y tenait les bras passés au-dessus de la traverse, les genoux et les jambes enserrant la tige, dans une pose aussi pénible que celle du mauvais larron, mais qu'il n'eût pas quittée pour une fouace ou un chausson aux pommes. De là, il découvrait le détail intéressant de l'échafaud, la roue pour tourner le patient, les cordelettes pour l'attacher, la barre pour lui briser les os; toutes choses dignes d'être examinées.

Cependant si, parmi les spectateurs, quelqu'un se fût avisé d'étudier d'un œil plus attentif cet enfant ainsi perché, il eût démêlé dans l'expression de son visage un autre sentiment que celui d'une curiosité vulgaire. Ce n'était point le féroce appât d'un supplice qui avait mené là ce jeune être au teint bistré, aux grands yeux cernés de brun, aux dents brillantes, aux longs cheveux noirs, dont les mains gantées de hâle se crispaient sur les croisillons de pierre. La délicatesse de ses traits semblait même indiquer un autre sexe que celui qu'accusaient ses vêtements ; mais personne ne regardait de ce côté, et toutes les têtes se tournaient instinctivement vers l'échafaud ou vers le quai par lequel devait déboucher le condamné.

Parmi les groupes apparaissaient quelques figures de connaissance ; un nez rouge au milieu d'une face pâle désignait Malartic, et il passait assez du profil busqué de Jacquemin Lampourde par-dessus le pli d'un manteau jeté sur l'épaule à l'espagnole pour qu'on ne pût douter de son identité. Bien qu'il portât son chapeau enfoncé jusqu'au sourcil, afin de cacher l'absence de son oreille coupée par la balle de Piedgris, il était aisé de retrouver Bringuenarilles dans ce grand maraud assis sur une borne et fumant une longue pipe de Hollande pour passer le temps. Piedgris lui-même causait avec Tordgueule, et sur les marches de l'Hôtel de Ville se promenaient d'une façon péripatétique, causant de choses et d'autres, plusieurs habitués du *Radis couronné.* La place de Grève, où, tôt ou tard, ils doivent fatalement aboutir, exerce sur les meurtriers, les spadassins et les filous une fascination singulière. Cet endroit sinistre, au lieu de les repousser, les attire. Ils tournent autour traçant d'abord des cercles larges, ensuite plus étroits, jusqu'à ce qu'ils y tombent ; ils aiment à regarder le gibet où ils seront branchés ; ils en contemplent avidement la configuration horrible, et ils apprennent dans les grimaces des patients à se familiariser avec la mort ; effet bien contraire à l'idée de la justice, qui est d'effrayer les scélérats par l'aspect des tourments.

« Ces drôles attendent quelque exécution et ne laisseront le champ libre que lorsque le patient sera expédié, dit un beau jeune homme magnifiquement vêtu à un ami de très belle mine aussi, mais en costume plus modeste, placé à côté de lui dans le fond du carrosse. Au diable l'imbécile qui va se faire rouer précisément à l'heure où nous traversons la place de Grève. Ne pouvait-il pas remettre la chose à demain ?

— Croyez, répondit l'ami, qu'il ne demanderait pas mieux, et que l'incident est encore plus fâcheux pour lui que pour nous.

— Ce que nous avons de mieux à faire, mon cher Sigognac, c'est de nous résigner à tourner la tête de l'autre côté si le spectacle nous dégoûte, chose difficile pourtant, lorsqu'il se passe près de soi quelque chose de terrible.

— En tout cas, nous n'avons pas longtemps à attendre, répondit Sigognac, voyez là-bas, Vallombreuse ; la foule se sépare devant la charrette du condamné. »

En effet, une charrette, traînée par une rosse que réclamait Montfaucon, s'avançait, entourée de quelques archers à cheval, avec un bruit de vieilles ferrailles, et traversait les groupes de curieux, se dirigeant vers l'échafaud Sur une planche jetée en travers des ridelles était assis Agostin, auprès d'un capucin à barbe blanche qui lui présentait aux lèvres un crucifix de cuivre jaune poli par les baisers d'agonisants en bonne santé. Le bandit avait les cheveux entourés d'un mouchoir dont les bouts noués lui pendaient derrière la nuque. Une chemise de grosse toile et des grègues de vieille serge composaient tout son costume.

Il était en toilette d'échafaud ; toilette succincte. Le bourreau s'était déjà emparé de la défroque du condamné comme c'était son droit, et ne lui avait laissé que ces haillons, bien suffisants pour mourir. Un système de corde-lettes, dont le bout était tenu par l'exécuteur des hautes œuvres, placé à l'arrière de la charrette, afin que le patient ne le vît pas, maintenait Agostin, tout en lui laissant une liberté apparente. Un valet de bourreau, assis de côté sur un des brancards de la charrette, tenait les guides et fouet-tait à tour de bras la maigre rosse.

« Eh mais, dit Sigognac dans le carrosse, c'est le bandit qui m'a autrefois arrêté sur la grand-route en tête d'une troupe de mannequins ; je vous ai conté cette histoire pen-dant notre voyage à l'endroit où elle s'était passée.

— Je m'en souviens, fit Vallombreuse, et j'en ai ri de bon cœur ; mais, depuis, il paraît que le drôle s'est livré à des exploits plus sérieux. L'ambition l'a perdu ; il fait d'ail-leurs assez bonne contenance. »

Agostin, un peu pâli sous son teint naturellement hâlé, promenait sur la foule un regard préoccupé et qui sem-blait chercher quelqu'un. Et passant auprès de la croix de pierre, il aperçut le jeune enfant perché dont il a été ques-tion au commencement de ce chapitre et qui n'avait pas quitté sa place.

A cette vue un éclair de joie brilla dans ses yeux, un faible sourire entrouvrit ses lèvres ; il fit de la tête un signe imperceptible, adieu et testament à la fois, et dit à mi-voix : « Chiquita ! »

« Pour un brigand de province, que cela devrait inti-mider de mourir devant des Parisiens, dit Jacquemin Lampourde, qui s'était rapproché de l'échafaud en jouant des coudes à travers les badauds et les commères, cet Agostin se comporte assez bien. Sa tête ne ballotte pas ; il la tient haute et droite ; signe de courage, il a regardé fixement la machine. Si mon expérience ne me trompe, il fera une fin correcte et décente, sans geindre, sans se débattre, sans demander à faire des aveux pour gagner du temps.

– Oh ! pour cela, il n'y a pas de danger, dit Malartic ; à la torture, il s'est laissé enfoncer huit coins plutôt que de desserrer les dents et de trahir un camarade. »

La charrette, pendant ces courts dialogues, était arrivée au pied de l'échafaud, dont Agostin monta lentement les degrés, précédé du valet, soutenu du capucin et suivi du bourreau. En moins d'une minute il fut étalé et lié solidement sur la roue par les aides de l'exécuteur. Le bourreau, ayant jeté son manteau rouge brodé à l'épaule d'une échelle en galon blanc, avait tourné sa manche en bourrelet autour de son bras, pour être plus libre et dégagé, et se baissait pour prendre la barre fatale.

C'était l'instant suprême. Une curiosité anxieuse opprimait les poitrines des spectateurs.

Tout à coup un certain frémissement eut lieu parmi la foule. L'enfant hissé sur la croix s'était laissé couler à terre, et, se faufilant comme une couleuvre à travers les groupes, avait atteint l'échafaud, dont en deux bonds elle escaladait les marches, présentant au bourreau étonné, qui levait déjà sa masse, une figure pâle, étincelante, sublime, illuminée d'une telle résolution qu'il s'arrêta malgré lui et retint le coup prêt à descendre.

« Ote-toi de là, môme, s'écria le bourreau, ou ma barre va te briser la tête. »

Mais Chiquita ne l'écoutait point. Il lui était bien égal d'être tuée. Se penchant sur Agostin, elle le baisa au front et lui dit : « Je t'aime », puis, d'un mouvement plus prompt que l'éclair, elle lui plongea dans le cœur la navaja qu'elle avait reprise à Isabelle. Le coup était porté d'une main si ferme que la mort fut presque instantanée ; à peine Agostin eut-il le temps de dire : « Merci.

– Cuando esta vivora pica,
No hay remedio en la botica »,

murmura l'enfant avec un éclat de rire sauvage et fou, en se précipitant à bas de l'échafaud, où l'exécuteur, stupéfait de l'aventure, abaissait sa barre inutile, incertain s'il devait briser les os d'un cadavre.

Lampourde, Bringuenarilles, Piedgris, Tordgueule et les amis du *Radis couronné*, émerveillés de cette action, s'arrangèrent en haie compacte, de façon à empêcher les soldats de courir après Chiquita. Les disputes et les poussées, mêlées de horions, que fit naître cet embarras factice donnèrent le temps à la petite de gagner le carrosse de Vallombreuse, arrêté au coin de la place. Elle grimpa sur le marchepied, et, s'accrochant des mains à la portière, elle reconnut Sigognac et lui dit d'une voix haletante : « J'ai sauvé Isabelle, sauve-moi. »

Vallombreuse, que cette scène bizarre avait fort intéressé, cria au cocher : « A fond de train et passe, s'il le faut, sur le ventre de cette canaille. » Mais le cocher n'eut besoin d'écraser personne. La foule s'ouvrait avec empressement devant le carrosse et se refermait aussitôt pour arrêter la molle poursuite des soudards. En quelques minutes, le carrosse eut atteint la porte Saint-Antoine, et, comme le bruit d'une aventure si récente ne pouvait être parvenu jusque-là, Vallombreuse ordonna au cocher de modérer son allure, d'autant qu'un équipage, fuyant de cette vitesse, eût semblé, à bon droit, suspect. Le faubourg dépassé, il fit entrer Chiquita dans la voiture. Elle s'assit, sans mot dire, sur un carreau, en face de Sigognac. Sous l'apparence la plus calme, elle était en proie à une exaltation extrême. Aucun muscle de sa figure ne bougeait, mais un flot de sang empourprait ses joues, ordinairement si pâles, et donnait à ses grands yeux fixes, qui regardaient sans voir, un éclat surnaturel. Une sorte de transfiguration s'était opérée dans Chiquita. Cet effort violent avait déchiré la chrysalide enfantine où dormait la jeune fille. En plongeant son couteau dans le cœur d'Agostin, elle avait du même coup ouvert le sien. Elle était femme désormais, et sa passion éclose en une minute devait être éternelle. Un baiser, un coup de couteau, c'était bien l'amour de Chiquita.

Rideaux baissés, le carrosse entra dans la cour d'honneur : Vallombreuse prit Sigognac sous le bras et l'emmena dans son appartement, après avoir dit à un laquais de conduire Chiquita chez la comtesse de Lineuil.

A la vue de Chiquita, Isabelle posa le livre qu'elle était en train de lire et arrêta sur la jeune fille un regard plein d'interrogations.

Chiquita resta immobile et silencieuse jusqu'à ce que le laquais fût retiré. Alors, avec une sorte de solennité singulière, elle s'avança vers Isabelle, lui prit la main et dit :

« Le couteau est dans le cœur d'Agostin ; je n'ai plus de maître, et je sens le besoin de me dévouer à quelqu'un. Après lui, qui est mort, c'est toi que j'aime le plus au monde ; tu m'as donné le collier de perles et tu m'as embrassée. Veux-tu de moi pour esclave, pour chien, pour gnome ? Fais-moi donner un haillon noir pour porter le deuil de mon amour ; je coucherai en travers sur le seuil de ta porte ; cela ne te gênera pas du tout. Quand tu me voudras, tu siffleras ainsi – et elle siffla – et je paraîtrai tout de suite ; veux-tu ? »

Isabelle, pour toute réponse, attira Chiquita sur son cœur, lui effleura le front des lèvres et accepta simplement cette âme qui se donnait à elle.

XXI

HYMEN, Ô HYMÉNÉE !

Isabelle, accoutumée aux façons énigmatiques et bizarres de Chiquita, ne l'avait point interrogée, se réservant de lui demander des explications quand cette étrange fille serait plus calme. Elle entrevoyait bien quelque histoire terrible à travers tout cela ; mais la pauvre enfant lui avait rendu de tels services qu'il fallait l'accueillir sans enquête en cette situation évidemment désespérée.

Après l'avoir confiée à une femme de chambre, elle reprit sa lecture interrompue, bien que le livre ne l'intéressât guère ; au bout de quelques pages, son esprit ne suivant plus les lignes, elle mit le signet entre les pages et reposa le volume sur la table parmi des ouvrages d'aiguille commencés. La tête appuyée sur la main, le regard perdu dans l'espace, elle se laissa aller à la pente habituelle de sa rêverie : « Qu'est devenu Sigognac, disait-elle, pense-t-il encore à moi, m'aime-t-il toujours ? Sans doute, il est retourné dans son pauvre château, et, croyant mon frère mort, il n'ose donner signe de vie. Cet obstacle chimérique l'arrête. Autrement, il eût essayé de me revoir ; il m'eût écrit tout au moins. Peut-être l'idée que je suis maintenant un riche parti retient-elle son courage. S'il m'avait oubliée ! Oh ! non ; c'est impossible ! »

La comtesse de Lineuil, car il est peut-être un peu bien

familier d'appeler Isabelle tout court la fille légitimée d'un prince, en était là de son monologue intérieur lorsqu'un grand laquais vint demander si madame la comtesse pouvait recevoir M. le duc de Vallombreuse, qui arrivait de voyage et demandait à la saluer.

« Qu'il vienne tout de suite, répondit la comtesse, sa visite me fera le plus grand plaisir. »

Cinq ou six minutes s'étaient à peine écoulées que le jeune duc entrait dans le salon le teint brillant, l'œil vif, la démarche assurée et légère, avec cet air de gloire qu'il avait avant sa blessure ; il jeta son feutre à plume sur un fauteuil et prit la main de sa sœur, qu'il porta à ses lèvres d'une façon aussi respectueuse que tendre.

« Chère Isabelle, je suis resté plus longtemps que je ne l'aurais voulu, car ce m est une grande privation de ne pas vous voir, tant j'ai vite pris la douce habitude de votre présence ; mais je me suis bien occupé de vous pendant mon voyage et l'espoir de vous faire plaisir me dédommageait un peu. Puisque vous n'avez pas voulu du chevalier de Vidalinc ni du marquis de l'Estang, je me suis mis en quête, et, dans mes voyages, j'ai trouvé votre affaire : un mari charmant, parfait, idéal, dont vous raffolerez, j'en suis sûr.

– C'est une cruauté, Vallombreuse, de me persécuter de ces plaisanteries. Vous n'ignorez pas, méchant frère, que je ne veux point me marier ; je ne saurais donner ma main sans mon cœur, et mon cœur n'est plus à moi.

– Vous changerez de langage quand je vous présenterai l'époux que je vous ai choisi.

– Jamais, jamais, répondit Isabelle d'une voix altérée par l'émotion ; je serai fidèle à un souvenir bien cher, car je ne pense pas que votre intention soit de forcer ma volonté.

– Oh! non, je ne suis pas tyrannique à ce point; je vous demande seulement de ne pas repousser mon protégé avant de l'avoir vu. »

Sans attendre le consentement de sa sœur, Vallombreuse se leva et passa dans le salon voisin. Il en revint aussitôt amenant Sigognac, à qui le cœur battait bien fort. Les deux jeunes gens, se tenant par la main, restèrent quelque temps arrêtés sur le seuil, espérant qu'Isabelle tournerait les yeux de leur côté, mais elle les baissait modestement, regardant la pointe de son corsage et pensant à cet ami qu'elle ne soupçonnait pas si près d'elle.

« Comtesse de Lineuil, dit Vallombreuse d'un ton légèrement emphatique et comme outrant à dessein l'étiquette, permettez-moi de vous présenter un de mes bons amis que vous accueillerez favorablement, je l'espère : le baron de Sigognac. »

A ce nom, qu'elle prit d'abord pour une raillerie de son frère, Isabelle tressaillit pourtant et jeta un coup d'œil rapide au nouveau venu. Reconnaissant que Vallombreuse ne la trompait point, elle ressentit une émotion extraordinaire. D'abord elle devint toute blanche, le sang affluant au cœur; puis, la réaction se faisant, une rougeur aimable lui couvrit comme un nuage rose le front, les joues, et ce qu'on entrevoyait de son sein sous la gorgerette. Sans dire un mot, elle se leva et se jeta au col de Vallombreuse, cachant sa tête contre l'épaule du jeune duc. Deux ou trois sanglots agitèrent le gracieux corps de la jeune fille, et quelques larmes mouillèrent le velours du pourpoint à la place où elle appuyait la tête. Par ce joli mouvement, si pudique et si féminin, Isabelle montrait toute la délicatesse de son âme. Elle remerciait Vallombreuse, dont elle avait compris l'ingénieuse bonté, et, ne pouvant embrasser son amant, elle embrassait son frère.

« Eh bien, n'avais-je pas raison, dit Vallombreuse, de soutenir que vous recevriez bien le prétendu de mon choix. Si je ne m'étais montré aussi entêté que vous étiez résolue, le cher Sigognac serait reparti pour sa gentilhommière sans vous avoir vue, et c'eût été dommage ; convenez-en.

– Oui, dit Sigognac, M. le duc de Vallombreuse a fait preuve à mon endroit d'une âme grande et généreuse ; il a mis de côté des ressentiments qui pouvaient sembler légitimes, et il est venu à moi la main ouverte et le cœur sur la main. Du mal que je lui ai fait, il se venge noblement en m'imposant une reconnaissance éternelle, fardeau léger, et que je porterai avec joie jusqu'à la mort.

– Ne parlez pas de cela, mon cher baron, répondit Vallombreuse ; vous en eussiez fait tout autant à ma place. Deux vaillants finissent toujours par s'entendre. M'est avis que je ferais bien d'aller saluer mon père et de le prévenir de votre arrivée, à laquelle il s'attend un peu, je l'avoue. Ah çà, comtesse, il est bien sûr que vous acceptez le baron de Sigognac pour époux ? je ne voudrais pas faire un pas de clerc. Vous l'acceptez ? c'est bien. Alors je puis me retirer : des fiancés ont parfois à se dire des choses très innocentes, mais que gênerait la présence d'un frère ; je vous laisse l'un à l'autre, certain que vous me remercierez, et puis, le métier de duègne n'est pas mon affaire. Adieu ; je reviendrai bientôt prendre Sigognac pour le mener au prince. »

Sigognac se rapprocha d'Isabelle et lui prit la main qu'elle ne retira point. Pendant quelques minutes le jeune couple se regarda avec des yeux ravis De tels silences sont plus éloquents que des paroles ; privés si longtemps du plaisir de se voir, Isabelle et Sigognac ne pouvaient se rassasier l'un de l'autre ; enfin le Baron dit à sa jeune maîtresse :

« J'ose à peine croire à tant de félicité. Oh ! la bizarre étoile que la mienne ! vous m'avez aimé parce que j'étais pauvre et malheureux, et ce qui devait consommer ma perte est cause de ma fortune. Une troupe de comédiens me réservait un ange de beauté et de vertu ; une attaque à main armée m'a donné un ami, et votre enlèvement vous a fait reconnaître d'un père qui vous cherchait en vain ; tout cela parce qu'un chariot s'est égaré dans les landes par une nuit obscure.

— Nous devions nous aimer, c'était écrit là-haut. Les âmes sœurs finissent par se trouver quand elles savent s'attendre. J'ai bien senti, au château de Sigognac, que ma destinée s'accomplissait ; à votre vue, mon cœur, qu'aucune galanterie n'avait su toucher, éprouva une commotion. Votre timidité fit plus que toutes les audaces, et dès ce moment je résolus de n'appartenir jamais qu'à vous ou à Dieu.

— Et pourtant, méchante, vous m'avez refusé votre main quand je la demandais à genoux : je sais bien que c'était par générosité ; mais c'était une générosité cruelle.

— Je la réparerai de mon mieux, cher baron, et la voici, cette main, avec mon cœur que vous possédiez déjà. La comtesse de Lineuil n'est pas obligée aux mêmes scrupules que la pauvre Isabelle. Je n'avais qu'une peur, c'est que vous ne voulussiez plus de moi, par fierté. Mais, bien vrai, en renonçant à moi, vous n'auriez pas épousé une autre femme ? Vous me seriez resté fidèle, même sans espérance ? Ma pensée occupait la vôtre lorsque Vallombreuse est allé vous relancer dans votre manoir ?

– Chère Isabelle, le jour, je n'avais pas une idée qui ne volât vers vous, et le soir, en posant ma tête sur l'oreiller effleuré une fois par votre front pur, je suppliais les divinités du rêve de me représenter votre charmante image dans leur miroir fantastique. »

En ce moment le jeune duc revint et dit à Sigognac que le prince l'attendait.

Sigognac se leva, salua Isabelle et suivit Vallombreuse à travers plusieurs appartements au bout desquels se trouvait la chambre du prince. Le vieux seigneur, vêtu de noir, décoré de ses ordres, était assis près de la fenêtre dans un grand fauteuil, derrière une table recouverte d'un tapis de Turquie et chargée de papiers et de livres. Sa pose, malgré son air affable, était un peu composée comme celle d'un homme qui attend une visite solennelle.

« Monsieur mon père, dit Vallombreuse, je vous présente le baron de Sigognac, autrefois mon rival, maintenant mon ami, mon parent bientôt si vous y consentez. Je lui dois d'être sage. Ce n'est pas une mince obligation. Le Baron vient respectueusement vous faire une requête qu'il me serait bien doux de vous voir lui accorder. »

Le prince fit un geste d'acquiescement comme pour engager Sigognac à parler.

Encouragé de la sorte, le Baron se leva, s'inclina et dit : « Prince, je vous demande la main de madame la comtesse Isabelle de Lineuil, votre fille. »

Comme pour se donner le temps de la réflexion, le vieux seigneur garda quelques instants le silence, puis il répondit : « Baron de Sigognac, j'accueille votre demande et consens à ce mariage en tant que ma volonté paternelle s'accordera avec le bon plaisir de ma fille, que je ne prétends forcer en rien. Je ne veux point user de tyrannie, et c'est à la comtesse de Lineuil qu'il appartient de décider sur ce point en dernier ressort. Il la faut consulter. »

Vallombreuse disparut et revint bientôt avec Isabelle plus morte que vive. Malgré les assurances de son frère, elle ne pouvait croire encore à tant de bonheur, son sein palpitant soulevait son corsage, les couleurs avaient quitté ses joues, et ses genoux se dérobaient sous elle Le prince l'attira près de lui, et elle fut obligée, tant elle tremblait, de s'appuyer au bras du fauteuil pour ne pas choir tout de son long à terre.

« Ma fille, dit le prince, voici un gentilhomme qui vous fait l'honneur de me demander votre main. Je verrais cette union avec joie ; car il est de race ancienne, de réputation sans tache, et il me semble réunir toutes les conditions désirables. Il me convient ; mais a-t-il su vous plaire ? les têtes blondes ne jugent pas toujours comme les têtes grises. Sondez votre cœur, examinez votre âme, et dites si vous acceptez monsieur le baron de Sigognac pour mari. Prenez votre temps ; en chose si grave, il ne faut point de hâte. »

Le sourire bienveillant et cordial du prince faisait bien voir qu'il badinait. Aussi Isabelle enhardie mit ses bras autour du col de son père et lui dit d'une voix adorablement câline : « Il n'est pas nécessaire de tant réfléchir. Puisque le baron de Sigognac vous agrée, mon seigneur et père, j'avouerai avec une libre et honnête franchise que je l'aime depuis que je l'ai vu et je n'ai jamais désiré d'autre époux. Vous obéir sera mon plus grand bonheur.

— Eh bien, donnez-vous la main et embrassez-vous en signe de fiançailles, dit gaiement le duc de Vallombreuse.

Le roman se termine mieux qu'on ne l'aurait pu croire d'après ses commencements embrouillés. A quand la noce ?

– Il faut bien, dit le prince, une huitaine de jours aux tailleurs pour couper et assembler les étoffes, autant aux carrossiers pour mettre en état les équipages ; en attendant, Isabelle, voici votre dot : le comté de Lineuil dont vous portez le titre et qui rend cinquante mille écus de rente avec ses bois, prés, étangs et terres labourables (et il lui tendit une liasse de papiers). Quant à vous, Sigognac, prenez cette ordonnance royale qui vous nomme gouverneur d'une province. Nul mieux que vous ne convient à cette place. »

Qu'ajouter à cela ? les huit jours passés, le chapelain de Vallombreuse unit Isabelle et Sigognac, à qui le marquis de Bruyères servait de témoin, dans la chapelle du château toute fleurie de bouquets, tout étincelante de cierges.

Sigognac était radieux, Isabelle adorable sous ses longs voiles blancs, et jamais, à moins de le savoir, on n'eût pu soupçonner que cette belle personne si noble et si modeste à la fois, qui ressemblait à une princesse du sang, avait paru en des comédies, devant des chandelles. Sigognac, gouverneur de province, capitaine de mousquetaires, vêtu superbement, n'avait aucun rapport avec le malheureux gentillâtre dont la misère a été décrite au commencement de cette histoire.

XXII

LE CHÂTEAU DU BONHEUR

On pense bien que la bonne Isabelle, devenue baronne de Sigognac, n'avait pas oublié dans les grandeurs ses braves camarades de la troupe d'Hérode. Ne pouvant les inviter à sa noce à cause de leur condition qui ne congruait plus à la sienne, elle leur avait fait à tous des cadeaux offerts avec une grâce si charmante qu'elle en doublait la valeur. Même, jusqu'au départ de la compagnie, elle alla souvent les voir jouer, les applaudissant à propos, comme quelqu'un qui s'y connaissait. Car la nouvelle baronne ne celait point qu'elle eût été comédienne, excellent moyen d'ôter aux mauvaises langues l'envie de le dire, comme elles n'y auraient pas manqué, si elle en eût fait mystère. Du reste, le sang illustre dont elle était imposait silence à tous, et sa modestie lui eut bientôt conquis les cœurs, même ceux des femmes, qui s'accordèrent à la trouver aussi grande dame que pas une à la cour. Le roi Louis XIII, ayant entendu parler des aventures d'Isabelle, la loua fort de sa sagesse et témoigna une particulière estime à Sigognac pour sa retenue, n'aimant pas, en chaste monarque qu'il était, les jeunesses audacieuses et débordées. Vallombreuse s'était notoirement amendé à la fréquentation de son beau-frère, et le prince en ressentait beaucoup de joie. Les jeunes époux menaient donc une charmante vie, toujours plus amoureux l'un de l'autre et n'éprouvant pas cette satiété du bonheur qui gâte les plus belles existences. Cependant, depuis quelque temps, Isabelle semblait animée d'une activité mystérieuse. Elle avait des conférences secrètes avec son intendant; un architecte venait la voir qui lui soumettait des plans; des sculpteurs et des peintres avaient reçu d'elle des ordres et étaient partis pour une destination inconnue. Tout cela se faisait en cachette de Sigognac, de complicité avec Vallombreuse, qui paraissait savoir le mot de l'énigme.

Un beau matin, après quelques mois écoulés nécessaires sans doute à l'accomplissement de son projet, Isabelle dit à Sigognac, comme si une idée subite lui eût traversé la fantaisie : « Mon cher seigneur, ne pensez-vous jamais à votre pauvre castel de Sigognac, et n'avez-vous pas envie de revoir le berceau de nos amours ?

— Je ne suis pas si ingrat, et j'y ai plus d'une fois songé ; mais je n'ai point osé vous engager à ce voyage, ne sachant pas s'il serait de votre goût. Je ne me serais pas permis de vous arracher aux délices de la cour dont vous êtes l'ornement pour vous conduire à ce château lézardé, séjour des rats et des hiboux, lequel je préfère pourtant aux plus riches palais, comme étant la séculaire habitation de mes ancêtres et le lieu où je vous vis pour la première fois, place à jamais sacrée que volontiers je marquerais d'un autel.

— Pour moi, reprit Isabelle, je me suis demandé bien souvent si l'églantier du jardin avait encore des roses.

— Il en a, dit Sigognac, j'en jurerais ; ces arbustes agrestes sont vivaces, et d'ailleurs, ayant été touché par vous, il doit toujours produire des fleurs, même pour la solitude.

— A l'encontre des époux ordinaires, répondit en riant la baronne de Sigognac, vous êtes plus galant après le mariage qu'avant, et vous poussez des madrigaux à votre femme comme à une maîtresse. Puisque votre désir s'accorde avec mon caprice, vous plairait-il de partir cette semaine ? La saison est belle, les fortes chaleurs sont passées, et nous ferons agréablement le voyage. Vallombreuse viendra avec nous et j'emmènerai Chiquita, à qui cela fera plaisir de revoir son pays. »

Les préparatifs furent bientôt faits. On se mit en route. Le voyage fut rapide et charmant ; Vallombreuse ayant fait disposer d'avance des relais de chevaux, au bout de quelques jours on arriva à cet endroit où s'embranchait, sur le grand chemin, l'allée conduisant au manoir de Sigognac. Il pouvait être deux heures de l'après-midi, et le ciel brillait d'une vive lumière.

Au moment où le carrosse tourna pour entrer dans l'allée et où la perspective du château se découvrit tout d'un coup, Sigognac eut comme un éblouissement ; il ne reconnaissait plus ces lieux si familiers pourtant à sa mémoire. La route aplanie n'offrait plus d'ornières. Les haies élaguées laissaient passer le voyageur sans l'égratigner de leurs griffes. Les arbres, taillés avec art, jetaient une ombre correcte, et leur arcade encadrait une vue tout à fait nouvelle.

Au lieu de la triste masure dont on se rappelle la description lamentable, s'élevait, sous un gai rayon de soleil, un château tout neuf, ressemblant à l'ancien comme un fils ressemble à son père. Cependant rien n'avait été changé dans sa forme. Il présentait toujours la même disposition architecturale ; seulement, en quelques mois, il avait rajeuni de plusieurs siècles. Les pierres tombées s'étaient remises en place. Les tourelles sveltes et blanches, coiffées d'un joli toit d'ardoises dessinant des symétries, se tenaient fièrement, comme des gardiennes féodales, aux quatre coins du castel, dressant dans l'azur leurs girouettes dorées. Un comble orné d'une élégante crête en métal avait fait disparaître le vieux toit effondré de tuiles lépreuses et moussues. Aux fenêtres, désobstruées de leurs fermetures en planches, brillaient des vitres neuves encadrées de plomb, formant des ronds et des losanges; aucune lézarde ne bâillait sur la façade complètement restaurée.

Sigognac garda quelques minutes le silence, contemplant ce spectacle merveilleux, puis il se tourna vers Isabelle et lui dit : « C'est à vous, gracieuse fée, que je dois cette transformation de mon manoir. Il vous a suffi de le toucher de votre baguette pour lui rendre la splendeur, la beauté et la jeunesse. Je vous sais un gré infini de cette surprise ; elle est charmante et délicieuse comme tout ce qui vient de vous. Sans que j'aie rien dit, vous avez deviné le vœu secret de mon âme.

— Remerciez aussi, répondit Isabelle, un certain enchanteur qui m'a beaucoup aidée en tout ceci », et elle montrait Vallombreuse assis dans un coin du carrosse.

Le Baron serra la main du jeune duc.

Pendant cette conversation, le carrosse était parvenu sur une place régulière ménagée devant le château dont les cheminées de briques vermeilles envoyaient au ciel de larges tourbillons de fumée blanche, prouvant qu'on attendait des hôtes d'importance.

Pierre, en belle livrée neuve, était debout sur le seuil de la porte, dont il poussa les battants à l'approche de la voiture, qui déposa le baron, la baronne et le duc au bas de l'escalier. Huit ou dix laquais, rangés en haie sur les marches, saluèrent profondément ces nouveaux maîtres qu'ils ne connaissaient pas encore.

On descendit au jardin par un perron dont les marches, raffermies et dégagées de mousses, ne vacillaient plus sous le pied trop confiant. Au bas de la rampe s'épanouissait, précieusement conservé, l'églantier sauvage qui avait offert sa rose à la jeune comédienne, le matin du départ de Sigognac. Il en portait encore une qu'Isabelle cueillit et mit dans son sein, voyant là un présage heureux pour la durée de ses amours.

Sigognac, étonné et ravi comme s'il marchait dans un rêve, serrait contre son cœur le bras d'Isabelle et laissait couler sans honte, sur ses joues, deux larmes d'attendrissement.

« Maintenant, dit Isabelle, que nous avons tout bien vu, il faut visiter les domaines que j'ai rachetés sous main, pour reconstituer, telle qu'elle était ou peu s'en faut, l'antique baronnie de Sigognac. Permettez-moi d'aller mettre un habit de cheval. Je ne serai pas longue, ayant par mon premier métier l'habitude de changer prestement de costume. Pendant ce temps, choisissez vos montures et faites-les seller. »

La chevauchée, grossie de cinq ou six personnes en habit de gala, car les hobereaux s'étaient faits les plus braves qu'ils avaient pu, prenait un air cérémonieux et magnifique. C'était un vrai cortège de princesse. On parcourut, en suivant un chemin bien entretenu, des prés verdoyants, des terres auxquelles la culture avait rendu la fertilité, des métairies en plein rapport, des bois savamment aménagés

Tout cela appartenait à Sigognac. La lande, avec les bruyères violettes, semblait s'être reculée du château.

La cavalcade rentra au château. Un somptueux repas servi dans la salle où jadis le pauvre Baron avait fait souper les comédiens avec leurs propres provisions, n'ayant rien en son garde-manger, attendait les hôtes, qui furent charmés de sa belle ordonnance.

La place d'Isabelle était la même qu'elle occupait dans cette fameuse nuit qui avait changé le destin du Baron; elle y pensait, Sigognac aussi, car les époux échangèrent un sourire d'amants, attendri de souvenir et lumineux d'espérance.

Près de la crédence sur laquelle l'écuyer-tranchant découpait les viandes, se tenait debout un homme de taille athlétique, à large face pâle entourée d'une épaisse barbe brune, vêtu de velours noir et portant au cou une chaîne d'argent, qui, de temps à autre, donnait des ordres aux laquais d'un air majestueux. Près d'un buffet chargé de bouteilles, les unes pansues, les autres effilées, se trémoussait avec beaucoup d'activité, malgré son tremblement sénile, une figure falote, aux petits yeux vairons pleins de malice et surmontés d'un sourcil circonflexe. Sigognac, regardant par hasard de ce côté, reconnut dans le premier le tragique Hérode, dans le second le grotesque Blazius. Isabelle, voyant qu'il s'était aperçu de leur présence, lui dit à l'oreille que, pour mettre désormais ces braves gens à l'abri des misères de la vie théâtrale, elle avait fait l'un intendant et l'autre sommelier de Sigognac, conditions fort douces et n'exigeant pas grand travail; de quoi le Baron tomba d'accord et approuva sa femme.

Le repas allait son train, et les flacons, activement remplacés par Blazius, se succédaient sans interruption, lorsque Sigognac sentit une tête s'appuyer sur un de ses genoux, et sur l'autre des griffes acérées jouer un air de guitare bien connu. C'étaient Miraut et Béelzébuth qui, profitant d'une porte entrouverte, s'étaient glissés dans la salle, et, malgré la peur que leur inspirait cette splendide et nombreuse compagnie, venaient réclamer de leur maître leur part du festin. Sigognac opulent n'avait garde de repousser ces humbles amis de sa misère ; il flatta Miraut de la main, gratta le crâne essorillé de Béelzébuth, et leur fit à tous deux une abondante distribution de bons morceaux.

Isabelle, sous prétexte de fatigue, s'était retirée au dessert. Chiquita, promue à la dignité de femme de chambre, l'avait défaite et accommodée de nuit, avec cette activité silencieuse qui caractérisait son service. C'était maintenant une belle fille que Chiquita. Son teint, que ne tannaient plus les intempéries des saisons, s'était éclairci, tout en gardant cette pâleur vivace et passionnée que les peintres admirent fort. Ses cheveux, qui avaient fait connaissance avec le peigne, étaient proprement retenus par un ruban rouge dont les bouts flottaient sur sa nuque brune ; à son col, on voyait toujours le fil de perles donné par Isabelle, et qui, pour la bizarre jeune fille, était le signe visible de son servage volontaire, une sorte d'*emprise* que la mort seule pouvait rompre. Sa robe était noire et portait le deuil d'un amour unique. Sa maîtresse ne l'avait pas contrariée en cette fantaisie. Chiquita, n'ayant plus rien à faire dans la chambre, se retira après avoir baisé la main d'Isabelle, comme elle n'y manquait jamais chaque soir.

Vers le matin, Sigognac s'éveilla et vit Béelzébuth le regardant comme s'il implorait un secours humain, et dilatant outre mesure ses grands yeux verts vitrés déjà et à demi éteints. Son poil avait perdu son brillant lustré et se collait comme mouillé par les sueurs de l'agonie ; il tremblait et faisait pour se tenir sur ses pattes des efforts extrêmes. Toute son attitude annonçait la vision d'une chose terrible. Enfin il tomba sur le flanc, fut agité de quelques mouvements convulsifs, poussa un sanglot semblable au cri d'un enfant égorgé, et se roidit comme si des mains invisibles lui distendaient les membres. Il était mort. Ce hurlement funèbre interrompit le sommeil de la jeune femme.

« Pauvre Béelzébuth, dit-elle en voyant le cadavre du chat, il a supporté la misère de Sigognac, il n'en connaîtra pas la prospérité ! »

Béelzébuth, il faut l'avouer, mourait victime de son intempérance. Une indigestion l'avait étouffé. Son estomac famélique n'était pas habitué à de telles frairies.

Cette mort toucha Sigognac plus qu'on ne saurait dire. Il ne pensait point que les animaux fussent de pures machines, et il accordait aux bêtes une âme de nature inférieure à l'âme des hommes, mais capable cependant d'intelligence et de sentiment. Cette opinion, d'ailleurs, est celle de tous ceux qui, ayant vécu longtemps dans la solitude en compagnie de quelque chien, chat, ou tout autre animal, ont eu le loisir de l'observer et d'établir avec lui des rapports suivis. Aussi, l'œil humide et le cœur pénétré de tristesse, enveloppa-t-il soigneusement le pauvre Béelzébuth dans un lambeau d'étoffe, pour l'enterrer le soir, action qui eût peut-être paru ridicule et sacrilège au vulgaire.

Quand la nuit fut tombée, Sigognac prit une bêche, une lanterne, et le corps de Béelzébuth, roide dans son linceul de soie. Il descendit au jardin, et commença à creuser la terre au pied de l'églantier, à la lueur de la lanterne dont les rayons éveillaient les insectes, et attiraient les phalènes qui venaient en battre la corne de leurs ailes poussiéreuses. Le temps était noir. A peine un coin de lune se devinait-il à travers les crevasses d'un nuage couleur d'encre, et la scène avait plus de solennité que n'en méritaient les funérailles d'un chat.

Sigognac bêchait toujours, car il voulait enfouir Béelzébuth assez profondément pour que les bêtes de proie ne vinssent pas le déterrer. Tout à coup le fer de sa bêche fit feu comme s'il eût rencontré un silex Le Baron pensa que c'était une pierre, et redoubla ses coups ; mais les coups sonnaient bizarrement et n'avançaient pas le travail. Alors Sigognac approcha la lanterne pour reconnaître l'obstacle et vit, non sans surprise, le couvercle d'une espèce de coffre en chêne, tout bardé d'épaisses lames de fer rouillé, mais très solides encore ; il dégagea la boîte en creusant la terre alentour, et, se servant de sa bêche comme d'un levier, il parvint à hisser, malgré son poids considérable, le coffret mystérieux jusqu'au bord du trou, et le fit glisser sur la terre ferme. Puis il mit Béelzébuth dans le vide laissé par la boîte, et combla la fosse.

Cette besogne terminée, il essaya d'emporter sa trouvaille au château, mais la charge était trop forte pour un seul homme, même vigoureux, et Sigognac alla chercher le fidèle Pierre, pour qu'il lui vînt en aide. Le valet et le maître prirent chacun une poignée du coffre et l'emportèrent au château, pliant sous le faix.

Avec une hache, Pierre rompit la serrure, et le couvercle en sautant découvrit une masse considérable de pièces d'or : onces, quadruples, sequins, génovines, portugaises, ducats, cruzades, angelots et autres monnaies de différents titres et pays, mais dont aucune n'était moderne. D'anciens bijoux enrichis de pierres précieuses étaient mêlés à ces pièces d'or. Au fond du coffre vidé, Sigognac trouva un parchemin scellé aux armes de Sigognac, mais l'humidité en avait effacé l'écriture. Le seing était seul encore un peu visible, et, lettre à lettre, le Baron déchiffra ces mots : « Raymond de Sigognac. » Ce nom était celui d'un de ses ancêtres, parti pour une guerre d'où il n'était jamais revenu, laissant le mystère de sa mort ou de sa disparition inexpliqué. Il n'avait qu'un fils en bas âge et, au moment de s'embarquer dans une expédition dangereuse, il avait enfoui son trésor, n'en confiant le secret qu'à un homme sûr, surpris sans doute par la mort avant de pouvoir révéler la cachette à l'héritier légitime. A dater de ce Raymond commençait la décadence de la maison de Sigognac, autrefois riche et puissante. Tel fut, du moins, le roman très probable qu'imagina le Baron d'après ces faibles indices ; mais ce qui n'était pas douteux, c'est que ce trésor lui appartînt. Il fit venir Isabelle et lui montra tout cet or étalé.

« Décidément, dit le Baron, Béelzébuth était le bon génie des Sigognac. En mourant, il me fait riche, et s'en va quand arrive l'ange. Il n'avait plus rien à faire puisque vous m'apportez le bonheur. »

Table

I

Le château de la misère
page 7

II

Le chariot de Thespis
page 21

III

L'auberge du *Soleil bleu*
page 39

IV

Brigands pour les oiseaux
page 45

V

Chez Monsieur le Marquis
page 53

VI

Effet de neige
page 67

VII

Où le roman justifie son titre
page 83

VIII

Les choses se compliquent
page 91

IX

Coups d'épée, coups de bâton
et autres aventures
page 107

X

Une tête dans une lucarne
page 121

XI

Le Pont-Neuf
page 133

XII

Le *Radis couronné*
page 145

XIII

Double attaque
page 151

XIV

Les délicatesses de Lampourde
page 161

XV

Malartic à l'œuvre
page 167

XVI

Vallombreuse
page 177

XVII

La bague d'améthyste
page 191

XVIII

En famille
page 213

XIX

Orties et toiles d'araignée
page 223

XX

Déclaration d'amour de Chiquita
page 233

XXI

Hymen, ô hyménée!
page 241

XXII

Le château du bonheur
page 249